中華再造善本

據中國國家圖書館藏宋刻
本影印原書版框高二十
八・一釐米寬二十・五釐米

集韻 一

五福五代堂古稀天子寶

八徵耄念之寶

太上皇帝之寶

集韻卷之一

翰林學士兼侍讀學士朝請大夫尚書左司郎中知制誥判祕閣判太常寺兼禮院羣牧使上柱國濟陽郡開國侯食邑一千三百戶賜紫金魚袋臣丁度等奉

敕脩定

韻例

昔唐虞君臣賡載作歌商周之代頌雅參列則聲韻經見此焉爲始後世屬文之士比音擇字類别部居乃有四聲若周研李登吕静沈約之流皆有編箸近世小學㝡廢六書亡缺臨文用字不給所求隋陸法言唐李舟孫愐各加裒撰以裨其闕

先帝時令陳彭年丘雍因法言韻就爲刊益景祐四年太常博士直史館宋祁太常丞直史館鄭戩建言彭年雍所定多用舊文繁略失當因詔祁戩與國子監直講賈昌朝王洙同加脩定刑部郎中知制誥丁度禮部員外郎知制誥李淑爲之典領今所撰集務從該廣經史諸子及小學書更相參定凡字訓悉本許慎説文慎所不載則引它書爲解凡古文見經史諸書可辨識者取之不然則否凡經典字有數讀先儒傳授各欲名家今竝論著以粹羣説凡通用韻中

同音再出者既爲冗長止見一音凡經史用字類多假借今字各著義則假借難同故但言通作某凡舊韻字有别體悉入子注使奇文異畫湮晦難尋今先標本字餘皆並出啓卷求義爛然易曉凡字有形義並同轉寫或異如坪垩叴叴心忄水氵之類今但注曰或書作某字凡一字之左舊注兼載它切既不該盡徒釀細文況字各有訓不煩悉箸凡姓望之出舊皆廣陳名系既乖字訓復類譜牒今之所書但曰某姓惟不顯者則略著其人凡字有成文相因不釋者

今但曰闕以示傳疑凡流俗用字附意生文既無可取徒亂眞僞今於正文之左直釋曰俗作某非是凡字之翻切舊以武代某以亡代茫謂之類隔今皆用本字述夫宮羽清重篆籀後先總括包并種别彙聯列十二凡著于篇端云字五万三千五百二十五 新增二万七千三百三十一字 分十卷詔名曰集韻

平聲一

東第一 都籠切 獨用

冬第二 都宗切 與鍾通

鍾第三 諸容切

江第四 古雙切 獨用

支第五 章移切與脂之通　脂第六 蒸夷切
之第七 眞而切　微第八 無非切獨用
魚第九 牛居切獨用
一○東 都籠切許愼說文動也从木官溥說从日在木中一曰春方也又姓文二十五　涷 說文水出發鳩山入於河爾雅暴雨謂之涷郭璞曰今江東呼夏月暴雨為涷雨引楚辭使涷雨兮灑塵一曰瀧涷沾漬　凍 凌也　菄 菄風艸名嶺南平澤有之莖高三二尺先春而生　蝀 蛞蝀科斗通作東
蝀 爾雅螮蝀虹也　鯟 魚名似鯉　鶇 鶇鶝鳥名美形皃一曰鶝名或書作鶇　䍶 㹅 山海經泰戲之山有獸狀如羊一角一目目在耳後其名䍶或从犬
倲 倲 儱倲劣也或作倲　徚 徚然行皃　崠 山名一曰山脊　埬 山埬地名　餗 東郡館名
䰤 鬼名一曰醜皃　錬 方言輨軑趙魏之間曰錬鏅　𤺋 吳俗謂惡氣所傷為𤺋病　𤲵 地名　鼕 鼕鼕鼓聲　𩧦 馬名　鬉 鬉鬆鬆皃
娕 國名　㤨 愚皃　○通 他東切說文達也亦州名又姓文二十五　熥 以火煖物　樋 木名　蓪 蓪草名博雅附支蓪艸
蓪 竹名　俑 說文痛也　侗 說文大皃引詩神罔時侗一曰侗未成器之人　恫 痌 恿 說文痛也一曰呻吟或作痌恿　曈

曈曨日欲明　狪 狪 𧳆 獸名山海經泰山有獸狀如豚而有珠其鳴自呼或从犬从豸　潼 水名　庝 舍響　𣿅 水聲　踊
走皃　𨁯 輕脫皃通作通　絧 緩而直通皃　𨋩 鼓聲遠聞　㤏 恫 㤏裯衷服也或从同　疃 町疃鹿跡　𡡉 女字　○
同 徒東切說文合會也亦州名文七十二　童 僮 說文男有罪曰奴奴曰童女曰妾一曰山無艸木曰童又姓籀文童中與竊中同从廿
僮 說文未冠也詩僮僮竦敬也　動 成人也　侗 倥侗蒙也　瞳 眮 瞳矓日欲出或作眮　曈 曈曨月初出　朣
肥皃　瞳 目瞳子　眮 吳楚謂瞋目顧視曰眮　哃 哃嘈大言　銅 說文赤金也　峒 崆峒山名　硐 硧 博雅磨也或从
甬　甋 博雅甋瓨甕也　瓬 瓨 瓬瓨小牡瓦也或从同　桐 木名說文榮也又姓古書作㮔　橦 木名華可作布　絧 布名
罿 捕鳥罔　艟 艟 博雅舟也或作艟　筒 竹名　筩 說文斷竹也　穜 先種後熟為穜　蕫 艸名爾雅蘋蕫郭璞曰
似蒲而細　洞 洪洞縣名在晉州一曰洚洞水無厓皃　潼 說文水出廣漢梓潼北界南入墊江　烔 爞 燑 博雅烔爞熱也或作爞燑
庝 舍響也　筩 通也　衕 通街也　郮 鄉名　鄧 地名又姓　鮦 鱑 魚名爾雅鱧大鮦或从童　鶇 鸏鶇水鳥黃喙長尺
餘南人以為酒器　狪 狪 貆 野彘或从犬从豸　犝 㸗 說文無角牛也或从同通作童　㠉 挏 無角羊或从同通作

童䡴𩊲車被具飾或从同𪔜鼕鼓聲或从冬潼幢潼容車幨帷也或从巾酮坤倉馬酪也一曰酢也
挏推復引也犝犬名弸象弭謂之弸憧憧憧往來不絶皃徐邈讀氃毴氃毛皃詷說文共也一曰譀也引周書在夏后
之詷戙舟纜所繫曰戙㠉㠉嵸山皃秱禾盛皃粡粽也痌𤺥創潰也或从童虪黑虎䵭黑皃䮵
馬名○籠盧東切說文舉土器一曰笭也一曰所以畜鳥文四十二蘢艸名說文天蘥也櫳說文檻也一曰所以養獸龒說文房室
之疏𥢓博雅𥢓穧也一曰禾病聾說文無聞也或書作矓嚨說文喉也𧮩大聲也𩟗餅屬或从麥𪎊
靇靇靇雷聲曨曈曨日出朧朣朧月出龓說文兼有也䪊馬被具通作襱𨏉方言車轄齊謂之𨏉襱𧙕
方言齊魯之間謂之襱關西謂之袴一曰裙也或从同巃巃嵸山高皃或書作巄儱儱倲劣也壟土壟也𢷎擊也躘躘蹤行皃
𢤱𢤱怨遽皃𧮯䜫蝕說文大長谷也或作䜫蝕瓏坤倉玲瓏玉聲一曰風聲礱說文䃺也天子之桷椽而礱之𤮐
築土以磨穀一曰瓦礱物瀧說文雨瀧瀧皃鸗鳧屬蠪說文丁蟻也一曰蠪蛭如狐九尾虎爪音如小兒食人亦名蛴蠪龐驡
充實也詩四牡龐龐或从馬竉都竉縣名在漢九真郡㦕㦕悷多惡也籠筐也鑨器也𦪚舟名𤢋獸名攏

理也○蓬蒲蒙切說文蒿也籀省亦州名文三十一芃說文草盛也引詩芃芃黍苗篷𨍭方言車篷南楚之外
謂之篷或省亦作輽艂笎織竹編箬以覆船或作笎逢韸韼𪔂逢逢鼓聲又姓或作韸韼𪔂龐驡
充切也或从馬髼鬔字林髼鬆髮亂皃或作鬔䄸艸名爾雅困衱䄸熢熢烰煙鬱皃漨漨浡煩鬱也蜂蠭
倉頡篇螽蜂蟲名或从逢颿風皃菶茂也詩菶菶萋萋𡍭塳塵也崔譔作塳鏠首著兜鍪也莊子鏠頭䡫車聲
𨋪車笭皮篋桻梁上欂也䴶煑麩也妦女字○蒙謨蓬切艸名說文王女也文五十五冡說文覆也通作蒙𠕒
說文突前也徐鉉曰冂重覆也犯冂而見是突前也幏說文蓋衣也一曰下刑墨幏幏巾也使刑者不得冠飾或作幪髳爾雅覭髳
茀離也郭璞曰艸木之叢茸翳薈或作野鬞馬垂鬣濛說文微雨也或作霥霥雺霚霿霧爾雅天氣下地不應
曰雺或作霚霿霧朦朦朧月將入曚曚曨日未明朦方言秦晉之間凡大皃謂之朦一曰豐也通作蒙艨博雅艨艟舟
矇說文童矇也一曰不明饛說文盛器滿皃引詩有饛簋飧或作盬盟盬盟醿說文䴹生衣也或作醿通作𩟧醯
醲醯濁酒也或作醯鸏說文水鳥也罞爾雅麋罟謂之罞蠓方言蠭燕趙之閒謂之蠓螉𦇛絲亂緒皃鄸邑名

䮴𩦁說文驢子也或从蒙 檬木名黃梩也 㩚收斂也 尨尨茸亂皃 蛖蟲名爾雅蛖螻 懵懞懵懵

無知皃或从夢 蝱龜兆氣不澤也洪範曰圛曰蝱 瞢雲瞢澤名在荆州李軌說 夢艸名說文灌渝博雅𦺉夢薢也 鬉博雅鬉鬆髾也

𩬴𩬴氈毛皃 鑝博雅鏠鑝鏊也 獴獸似豕目出於耳 矇浮醭也 艷醜也 嵘山名 𧮰嚎言不明亦从口

𨻶自名 鄸魯邑 懞憃厚皃 襛襤襠衣 ○檧篍蘇叢切俗呼小籠爲檧或作篍文十一 揔手進物

憽惺憽惠皃 皠素白也 蜙蚣蟲名爾雅蜙蝑或从公亦書作蚣 鬆鬆髮亂或作鬆 鏓大鑿也

潨水聲 ○怱悤麤叢切說文多遽怱怱也古作悤俗作忩非是文三十 聦聰說文察也一說耳病晉𦗖仲甚父患耳聰古作

聰 葱蔥說文菜也古作蔥 轗載囚檻車 檧檧兩頭銳者 鏓說文鎗鏓也一曰大鑿一曰平木刻 𢈢說文

屋階中會 嵸山皃 璁說文石之似玉者 緫緫說文帛青色一曰輕絹或作緫 憁憁恫無知 𨁴龍𨁴行遽 驄說文

馬青白雜毛也 蟌蟲名淮南子水蠆爲蟌一曰蛣蜓 熜熜博雅爟熜炬也一曰熅也或省 醦醦醪謂之醦濃或作醲 窻

囪牕窗囱通孔也鄭康成曰窻助戶爲明古作囪或作牕窗囪 嵷山海經大荒之南有從淵 傯志眾也 㥖女字

○㚇翪䳷祖叢切說文斂足也鵲鵙醜其飛也㚇或从羽从鳥文三十九 騣馬鬣也 鬉髮亂 𩮀繫髮繻一曰頭鬉

豵豵說文生六月豚一曰一歲豵尚叢聚也或从犬 猣爾雅犬生三猣 鯼魚名石首也出南海頭中有石 蝬三蝬蛤屬 𧎧

說文蝑𧎧也一曰似蟅 葼說文青齊沇冀謂木細枝曰葼 𥳆折竹箠 椶椶櫚木名葉似車輪 稯稅說文布八十縷爲稯一曰

十筥曰稯穧作稅通作緫緵 㣭𨒬行也或从辵 緵爾雅緵罟謂之九罭郭璞曰今百囊罟 緫絲數詩素絲五緫 嵏說文

九嵏山在馮翊谷口或書作嵕 㥕困㥕刻賊不通也李頤說 嵸龍嵸山皃 䡯輪也 䃛石名 堫𦓝說文種也一曰內其中也

一曰不耕而種或从耒 鬷說文釜屬一曰總也又姓 艐朡說文船著不行爾雅至也一曰三朡國名隸作朡 蚼蛩蚼蟲名似蟬

捘字統捘搣俗謂之捉頭 睃睬也 𧝓䘗博雅𧝓褋褌衣也或作䘗 陖國名 豵錐也 㛡女字 ○叢

徂聰切說文聚也俗作藂非是文十五 纃合絲織也 鬉毛髮聚生 䕺藂說文艸叢生皃或作菆𦺎 䉘籠篝取魚器

爜火皃 蠑蜙蠑蟲名 潨灇㵴漎說文小水入大水曰潨詩傳水會也或作灇㵴漎 縱髮髻高大皃禮爾無縱縱爾

匧劉昌宗讀盛米器 ○洪𣲙胡公切說文洚水也一曰大也亦姓古作𣲙文四十五 洚說文水不遵道一曰大水一曰下也

葓葒水艸也或从紅篊引水也一曰竹木爲束⿰米工粠說文陳臭米一曰赤米或从共紅說文帛赤白色亦姓⿰阝共
博雅⿰阝共坑也⿰阝虫⿰阝工從⿰阝虫山名在益州或作⿰阝工鉷大鑿硔硔礳石隕聲鴻鳿說文鴻鵠也大曰鴻小曰鴈亦姓古省
⿰工隹說文鳥肥大隹隹也⿱工羽飛聲或書作翃魟白魟魚名一曰魚肥虹蝎說文螮蝀也狀似蟲引明堂月令虹始見籀作蝎或書作
⿱工虫仜說文大腹也一曰朦仜肥大皃肛肛門腸耑訌說文讀也引詩蟊賊內訌通作虹㤟說文戰慄也⿰音工叿
⿰口夆大聲或作叿⿰口夆⿰風工風聲鉷埤倉弩牙碎致也烘灴字林燎也或从工玒珙說文玉也或从共瓨
陶器舼博雅舟也共共池地名垬埭也渱水聲一曰潰渱水沸涌⿰赤工皮肉腫赤屸山名娂妅女字或从
工愩愩憒也㤟徽幟類○烘呼公切說文尞也引詩卬烘于煁文十五䜤哅大聲或作哅䫺風聲⿰光工光色
焢火氣皃叿哄呵也一曰叿叿人聲一曰啀語或作哄䪦䪦顒頭閧皃谾谾瀧澗谷空皃硿石落聲䲨
魚名似鼈㲁擊空聲䎋耳有聲⿰口動歌聲○空枯公切說文竅也一曰虛也文二十一箜控箜篌樂器師延作蓋
空國之侯所好或从手⿱艹空⿱艹空心艸名䅝博雅秙䅝稭稾也椌器朴埪龜謂之埪硿硿青藥名出會稽一曰石聲控

集韻平聲一
六
佺

除也⿰空攴⿰空殳擊也或从殳崆崆𡾫山高倥倥侗蒙也悾信也一曰愨也⿰衤空袴謂之⿰衤空涳說文直流也一曰涳
濛細雨鵼鳥名出則爲怪⿰虫空蟲蛻曰⿰虫空⿰鼓空鼓聲窾空也莊子導大窾向秀讀⿰骨空尻骨○公⿱八台沽紅切說文平
分也从八从厶八猶背也韓非曰背厶爲公一曰封爵名古作⿱八台文二十六工⿰工彡說文巧飾也象人有規榘古从彡功糼紅
說文以勞定國也或作糼紅㓚博雅錏謂之㓚攻說文擊也一曰治也釭⿰車工博雅鐧銀釭也謂車轂中鐵或作⿰車工玒玜
玉名或从公碽擊聲篢笠名愩悾愩皃疘脫疘下病蚣蟲名廣雅蝍蛆蜈蚣也⿱艹公艸名⿰公鳥鳥名⿰魚公
魟⿰魚公鯆魚名似鼈或从工訌訌言相陷也詩蟊賊內訌鄭康成讀杠杠里地名⿰口公衆口⿰忄工急意○翁⿰翁頁烏公
切說文頸毛也或从頁翁一曰老稱又姓文十五⿰魚翁說文魚名螉說文蟲在牛馬皮者⿰革翁吳人謂鞾靿曰⿰革翁⿰木翁木名蓊說文
竹皃蓊艸名博雅蓊薹也又蓊鬱艸木盛皃嗡嗡吼牛聲⿰豕翁豬也⿰翁阝邑名⿰衤翁襪⿰衤翁衣名嵡嵡山名⿰翁虫蟲聲鎓
鍁也○⿰山兒五公切崆⿰山兒山高皃文三腢髃肩前也或从骨○⿰彳夆樸蒙切⿰彳夆使也文一○豐豊敷馮切說文豆
之豐滿者也一曰鄉飲酒禮有豐侯者一曰大也亦姓古作豊文十二酆說文周文王所都在京兆杜陵西南又姓灃水名在咸陽僼闕佺

豐仙人名𡾰山名麷說文煑麥也鄭衆謂熬麥曰麷或書作𪎊寷說文大屋也引易寷其屋蘴葑方言蘴蕘蕪菁也陳

楚之郊謂之蘴或作葑詩采葑采菲徐邈讀韸鼓聲靊靊霻靁師○風飌凬凨方馮切說文八風也風動蟲生故蟲

八日而化一曰諷也又姓或从䕸古作凬凨文十二楓葻說文厚葉弱枝善搖一名𣡂或从林䬍䬍㺯獸名如猿行逢人即叩頭微擊即死得風

還活偑地名瘋頭病䉦竹名出南海𨸯地名諷誦也一曰告也○馮符風切說文馬行疾也又姓文十六馮阝

說文姬姓之國汎浮也芃說文艸盛艂舟名渢大聲丯丯茸艸盛皃堸蟲室曰堸䫻梵風行木上曰䫻

或作梵葻艸偃風皃縫捀紩衣也或作捀渢水聲肌乳也淜無舟渡曰淜○瞢矒謨中切說文目

不明也从苜从旬旬目數搖也或作矒文十一夢艸名說文灌渝也夢說文不明也𡑬澤名通作夢儚儚爾雅儚儚

惛也一曰慙也或作懜䑃寐言鄸邑名在曹䒕䒕䒕醜皃𪇖獸名似豕目出於耳○嵩崇思融切說文中岳嵩

高山又姓古作崇文十七崧爾雅山大而高崧郭璞曰今中嶽嵩高山蓋依此名駥䲲䳋爵䳋隼屬或从公从松娀說文

帝高辛之妃偰母號也引詩有娀方將又姓菘菜名或作䓤蘴硹地名在遼絨姓也蝛蟲名髶髶髮毳布

一曰鬆細皃蜙蚣蜙蝑蟲名或从公亦書作蚣䤭酒名○充昌嵩切說文長也高也或曰實也備也文七琉瑱玉名通作充

㤝埋倉心動也䓻博雅黃也𧘂襌衣方言襜褕布而無緣關西謂之𧘂褔浺流浺水聲茺茺蔚艸名益母也○終

昗𠔀𣅳𠬲夂之戎切說文絿絲也一曰盡也又姓古作昗𠔀𣅳𠬲隸作夂文二十七汷泈說文水也一曰水名

在襄陽亦作泈潨厓也一曰小水入大水螽𧑄蝶蟲說文蝗也或作螽蝶蟲鼨鼨說文豹文鼠也或省

貗獸名如豹而角蔠艸名爾雅蔠葵蘩露大莖小葉華紫黃色柊齊人謂椎為柊楑一曰木名通作終霙說文小雨也引明堂月令

曰霙雨龜龜名𧇐𧇐虎文赤黑或从終鴤鳥名䈺戎人呼篋曰䈺衆艸名爾雅衆蔠郭璞曰葉員銳莖毛黑布地

冬不死又姓春秋傳有衆父終博雅終媷竟也通作終猔犬名○戎戎而融切說文兵也一曰西戎名一曰大也或作戎文十六

𣐽木名似櫰駥馬高八尺也爾雅絕有力駥狨獸名禺屬其毛柔長可藉通作戎絨布細者曰絨扌戎爾雅相也博雅推也

通作戎茙茙葵艸名一曰茙茙厚皃通作戎䇒竹笥謂之䇒茸茸亂皃襛䄾衣厚也或作䄾毧𣰮毛毳

細毛古作𣰮石戎石也竹戎竹名頭有文○崇鉏弓切說文嵬高也一曰充也聚也終也又姓或書作崈文六從太高皃禮爾毋從從

爾鄭康成讀潀水聲𠞊字林甬屬𨛚國名通作崇餸饒饒貪食○中𠁧𠁩陟隆切說文和也从口从丨上下通亦姓古作𠁧籀作𠁩文六衷說文裏褻衣一曰善也中也忠說文敬也亦州名𦬕說文艸也○忡敕中切說文憂也引詩憂心忡忡楚辭作𢥞文七沖沖瀜水深廣皃盅器虛曰盅𥦔穿也笚竹名翀上飛也○蟲持中切說文有足謂之蟲李陽冰曰裸毛羽鱗介之揔稱亦姓俗作虫非是文十二爞烛旱灼也或省通作蟲鼜鼓聲沖說文涌搖也一曰和也种稚也亦姓痋病也翀上飛通作沖盅說文器虛也引老子道盅而用之通作沖茧苹艸名或从中𢝊憂也

○隆良中切說文豐大也一曰物之中高也文十六癃痒癃說文罷病也或作痒癃窿穹窿天勢通作隆嶐隆豐山形漋漋高下水也或作漋𪔵鼕隆鼓鼓音或作隆鼓𥗩硿𥗩石落聲篷篁也霳豐隆雷師𧈧蠪蟲名或从隆夅多也○融𩰫余中切說文炊氣上出也一曰和也方言宋衛荊吳之間謂長曰融又姓籀不省文七肜瀜沖瀜水深廣皃彤船中也肜商又祭名肜者相尋不絕意孫炎說李舟从肉赨赤蟲○雄䧺胡弓切說文鳥父也一曰牡也一曰武稱亦姓或从鳥文八熊𤞸能𤝍𤍠說文獸似豕山居冬蟄亦姓或作𤞸能𤝍𤍠赨赤蟲○

弓居雄切說文以近窮遠象形古者揮作弓又姓一說角曰弓木曰弧文十三躳躬說文身也一曰親也或从弓又姓𨚗山名在蜀蝨杛木名𨉥窮恭皃或从穴宮說文室也一曰五聲之始亦姓𦢃腐刑也通作宮蛤守蛤蟲名通作宮涫縣名在酒泉杛博雅𥚨祩杛裪也营艸名蓂藭也○穹丘弓切說文窮也爾雅穹蒼蒼天郭璞曰天形穹隆然文十五𤏖曝也爐也或从宮悺𢗬怐廣雅憂也或作𢗬怐营芎鞠說文营藭香艸司馬相如說从弓或作鞠硿硿𥗩石聲崆崆𡻶山形𨉥𨉨博雅躬躬謹敬也或作躬䈙方言車枸簍宋魏陳楚間謂之䈙籠鞃車軾中○𣪍火宮切說文擊空聲文一○窮竆渠弓切說文極也或作竆文九竉說文夏后時諸侯夷羿國藭藥艸說文营藭也𨉥躳謹敬皃或作躳𨉥𡾮崆𡾮山形或从窮𤡧獸名似虎○碚於宮切石名文二悺憂也○䧆蚩工切雀也文一

○魟鷹公切海魚名似鼈龜文一

二○冬𡧴𣅔都宗切說文四時盡也又姓古作𡧴𣅔文九䨄雨皃苳說文艸也陸詞曰苣苳冬生通作冬𧳜獸如豹有角鴤鳥名似鳧㚵女字○炵他冬切火盛皃文三炵㣩博雅怪㣩懼也𧔎鳥名○彤𧊀徒冬切說

謀也或作誴慒說文慮也通作悰琮說文瑞玉大八寸似車釭淙說文水聲也潨水會也鬃高髻也蟌蟌蝑
蟲名甇甖屬方言江湘之間謂之甇孮子孫隆盛曰孮婃女字○硡乎攻切硡隆石隕文十嗵歌聲䬋大風謂之
䬋洚水不遵道夅服也降下也瓨甇長頸者○攻古宗切治也擊也文三釭轂鐵一曰鐙也碽擊聲
○浺統冬切浺淙水聲文一○硡酷攻切硡隆石聲文一

三○鍾諸容切說文酒器也一曰聚也當也又姓文三十三鐘鏞說文樂鐘也秋分之音物種成古者垂作鐘或从甬通作鍾橦
木一截也唐式柴方三尺五寸曰一橦籦籦籠竹名可作笛𧢦舉角也𥫱字林無節篖𦬤艸名炂暍什也伀
說文志及衆也彸征松怖遽皃妐公夫之兄為兄妐一曰關中呼夫之父曰妐或省通作鍾罿捕鳥罔爾雅罬謂之罿蹱徸
坪倉躘蹱行不進皃一曰小兒行或从彳憧憧憧往來不絕皃吣衆口皃忪心動也憁㤝𧜵衳說文惲也
一曰怯或作㤝𧜵衳蚣蟲名蝩𧒂蝗也或从童𨳡門外開童夫童郟地通作鍾鍾𨬼量名六斛四斗曰鍾或作
𨬼通作鍾舂荊山別名潼瀧潼溼皃鈆鐵也○舂書容切說文擣粟也古者雝父初作舂一曰山名日所入文十樁衝也

文丹飾也从彡彡其畫也又姓或作蚒文三十三 赨䞍說文赤色也或从冬 炵火盛皃 爞蟲爾雅爞爞薰也謂旱熱薰炙人

或作蟲 𢥞博雅𢥞𢥞憂也 㣽惶也 帎幡名 疼胗博雅痛也或作胗 痋說文動病也 㡛深屋謂之㡛一曰舍

鼕 隆鼕鼕鼕說文鼓聲也或从冬亦作鼕 𣪍說文擊空聲 鉵鏅說文相屬或从蟲 鉖鈞也 狆博雅

刺也 䶱說文龜名 鴤雖山海經崧果山有鳥名鴤渠狀如山雞黑身赤足可以已𦢊或从隹 㣽姓也 泈汪泈水深一曰水名

𨟐古國名 酘酒醋壞 䶰䶱黑虎或作鼨 鼨豹文鼠也 黬黑也 ○隆虛冬切碚隆石聲文六 隆鼓

鼕鼕鼕鼕鼓聲或作鼕鼕鼕鼕鼕 ○農辳農農農奴冬切說文耕也一曰厚也又姓古

作辳農農農𨼢文二十 饛饕饛強食 噥噥多言不中謂之噥 霿濃博雅露多也或作濃 憹懊憹悅也 儂我也吳語

獶說文犬惡毛 盥膿癑說文腫血也或作膿癑 莀蓬莀蘴華 䵜䵜負獸也一曰病鼻 䁸怒目

○鬆鬆鬆蘇宗切髮亂或作鬆鬆文三 ○宗祖賨切說文尊祖廟也一曰尊也本也亦姓文四 倧上古神人 淙

水不遵道孟子淙水警予 棕木名蜜桴也 ○賨幏徂宗切說文南蠻賦也或从巾亦書作賩文十三 悰誴說文樂也一曰

踳博雅踳蹋也 惷憧騃昏也或作憧 蝽蝽蟓蟲名通作春 鶅鶅鳥名布穀也通作春 䮞駑馬 從從容久意

禮待其從容然後盡其聲 傱博雅傱傱罵也 ○衝衝昌容切說文通道也春秋傳及衝以戈擊之一曰突也或从重文十七 罿說文罬也

用以捕鳥 憧說文意不定也一曰憧憧往來不絕皃 轒橦說文陷敶車也或作橦通作衝 艟艨艟戰船所以突敵 潼水名一曰

水壞道 𧝎穜博雅穜褣襜褕也或从重 𠞊𠝤博雅𠞊刺也或从重 穜種廣雅短矛也或从重 㥮崇牙也

惷騃昏也 䆡空也 ○鱅鰫常容切說文魚名一作鰫文十一 橦種博雅橦褣襜褕或从重 𥦛𥦛牖

器病 𤺥懶𤺥 鏞饞鏞不廉 𦩷艂引船泝水中或作艂 甋說文器也一曰瓶也 嫞女字 ○茸如容切說文艸茸茸

皃一曰尨茸亂皃文十八 䇯文竹也 𥟍穠𥟍芳也一曰禾稍 𣝤木名似檀 鞾鞾飾 𦀝毳絲飾 髶說文亂髮

也或从耳 毴博雅毴毴罽也 襛說文衣厚皃引詩何彼襛矣 穠華多皃 䟳行皃 𧑊蟲行皃 搑推擣也一曰收也

𥍞矛屬 醋說文酒也一曰酒重釀者 毴鳥獸細毛也 媶媶媶美皃 ○蜙蚣思恭切說文蜙蝑以股鳴者或省亦書作

蚣文九 淞江名在吳郡 凇字林凍洛也 鬆鬆鬆鬆亂或省 倯倯方言倯罵也郭璞曰庸小可憎之名一曰嬾

也或从彳 松木也閩內語 ○樅七恭切木名說文松葉柏身亦姓文二十 樅樅稜治禾也 鏦錄穗說文矛也一曰

稍小者或从彔亦作穗 瑽瑽瑢佩玉聲 𥉻目光 𦡫肥也 䞻急行皃 𩬆鬆𩭤髮鬆鬆亂或从松从公

摐博雅撞也 從從容休燕也 從𨑱步緩也或作𨑱 蓯蓯蓉藥名 蟌蟲名蝑翁也 𪕨𪕨鼩小鼠 㚇女字

○從縱將容切東西曰衡南北曰從或从糸文十七 縱說文絨屬絨采章也一曰車馬飾 䡮䡮說文車跡也或作䡮

蹤踨迹也或省 䞻急行皃 樅木名一曰簴上牙 熧火出穴中 磫廣雅磫磄礪也一曰石路 𪕨𪕨鼩鼠名 瘲

說文病也 毴博雅毴氍罽也 瞛目光也 潨水外之高者 豵豕生三子 ○松寀寀祥容切說文木也亦州名古作

寀寀或書作榕文七 訟爭也 淞凍洛也 菘艸名 ○从刅從迦牆容切說文相聽也从二人又姓古作刅隸作

從或作迦文九 豵豕生三子 𪆶𪇔方言桂林之中謂雞曰𪇔或从鳥亦書作𩿦 訟爭也 蜙蜙蝑蟲名 ○丰芊

丰敷容切說文艸盛丰丰也从生上下達也或作芊丰文三十五 莑艸牙始生 夆蜂說文啎也爾雅甹夆掣曳也或作蜂 妦

妦方言凡好而輕者趙魏燕代之間曰妦或作𡛋 夆逢說文使也或从逢 鏠鋒說文兵耑也或从夆 桻廣雅木末也

逢烽說文𤇊候表也邊有警則舉火顏師古說夜曰逢晝曰燧或省 𧲣𤞻豸屬或从夆 鞛韸鞛鞛鞍飾或从夆
胮肉峯峯說文山耑也或作峯或書作峰 䏺眸目睎或从夆 蠭螽蝰蜂說文飛蟲螫人者古
作螽或作𧒒蜂通作蜂 豐葑菜名或作葑 捀說文奉也 犎牛名 詳諷語耑或不省 伻闕人名 ○
封𡉚𡊄方容切說文爵諸侯之土也从之从土从寸守其制度也徐鍇曰各之其土一曰土陪益為封一曰大也又姓亦州名古作𡉚𡊄文十
崶山名在封州 葑蘴菜名說文須從也或作蘴 犎犎牛名領上肉犦胅起如橐駝或从夆 篈竹名 妦女字 ○
逢符容切說文遇也一曰大也文十四 縫綘摓說文以鍼紩衣也或省亦作摓 韄字林被縫也一曰鼓聲一曰鞁韄艸名
𥎍𥍯字林矛有二橫曰𥎍猏或从夆 捀抙捧奉也孫伷曰兩手分而數或省亦作捧通作摓 夆爾雅甹夆掣曳也
𡺭山神通作逢 漨浲水名山海經鼻孤山漨水出焉一曰漢漨池在開封縣或从夆 ○ 夆匹逢切甹夆掣曳也文一 ○ 蹱
癡凶切蹱蹱小兒行皃文八 傭𦟛均直也或从肉 䮢馬不行皃 𤢄土精如豘謂之𤢄 䵴深黑中黑 嫞女字 龔
巫 ○ 重傳容切複也文十三 種穜說文先種後孰也或作穜 緟褈𥡴說文增益也一曰厚也或作褈𥡴 鶵

大一百十九 小七百四十七 集韻平聲一 十一 正

鶵鷭鳥名 鮦魚名 蝩夏蠭 於旗杠 隀地名 酮酒欲酢 媑女字 ○ 龍竜竉𪚢龕
龒力鐘切說文鱗蟲之長春分而登天秋分而潛淵一曰寵也又姓亦州名古作竜竉𪚢龕龒文二十 龓馬野馬 蠪博雅蚵蠪𧌑蜴也一
曰竹蝩 瓏𤪌說文禱旱玉龍文从玉或从王 𧆝巫也 蹱蹱行皃 蘢蘢古艸名通作龍 籠博雅籠笭也一曰
籠鐘竹名 龐䆍郤龐縣在九真或作䆍 巃山峻皃 朧扁舟蓋謂之朧 驡馬屬 瀧水名 ○ 醲尼容切說文厚
酒也 濃𩅽說文露多也引詩零露濃濃或从雨 襛厚衣皃 穠華多皃 欀木名 䢉䢉多也 黷黷黑甚 文十
獴犬多毛 鬞鬞髮皃 ○ 容㝐餘封切說文盛也从宀谷徐鍇曰屋與谷皆所以盛受又姓亦州名古作㝐通作頌文四十七 頌
額說文皃也籀作額通作容 彮重影也一曰形彮 鬡髮長皃一曰飾也 傛漢制傛華婦官名一曰傛傛便習意一曰不安 搈
方言南楚謂襜褕曰襩搈 搈博雅動也 傭說文均直也一曰傭作謂之傭 庸𦗖說文用也从用庚庚更事也引易先庚三日一曰常也愚
也古作𦗖又姓 𩫖說文用也从𩫖从自自知臭香所食也 鄘說文南夷國一曰紂之畿內地名 鎔說文冶器法也 鏞鏞說文
大鐘謂之鏞或从甬 𢦷兵器 槦槦木名枋中箭笴一曰兵架謂之槦 榕木名初生如葛藟緣木後乃成樹 簪容篬笄矢也一曰文竹

蓉芙蓉荷華 溶說文水盛也一曰安流也亦水名 滽水名山海經宜蘇之山滽水出焉 墉𨽍𤕫𩫖說文城垣

也或作𨽍𤕫古作𩫖 嵱山名在容州 𡾰山名在建州 軵輍車行皃或从容 瑢玜瑢珮音 甋㼶博雅瓶也或作

㼶 獂𤝞說文猛獸也或从犬 鷛鏞說文鳥也一曰庸渠即今水雞或从隹 鷛鷛鶏鳥名 鰫魚名如犝牛音 鰫

說文魚也似鰱而黑 鱅山海經條鱅狀如黃蛇魚翼出入有光 訟諍也 犝牛名領有隆肉 鎔鉤鎔取炭器 嫆女字 ○

銎丘恭切說文斤斧穿也文三 䇩車弓 跫行聲 ○恭居容切說文肅也通作龔共或書作恭文十八 龏說文慤也

龔說文給也又州名亦姓 供說文設也一曰供給通作共 共共工官名又地名亦姓 廾𢪏竦手也或作𢪏 𨛜亭名

在宣城 哄𥈿埤倉哄睸非睢也或从恭 鬨鬆鬆鬆亂 䳟鳥名似雉嘀自呼 烘燎也 珙拱大璧也春秋傳與我

其珙璧徐邈讀或作拱 㤨博雅懼也 哄𠹋聲也或从恭 ○匈胷𣍯許容切說文膺也或作胷𣍯文十七 凶

𠔈說文惡也象地穿交陷其中或从夕通作凶 兇恟忷說文擾恐也引春秋傳曹人兇懼或作恟忷 訩詾說

詩傳訟也一曰盈也一曰衆言或作詾說 跫𧿹人行声莊子足音跫然或从凶 洶汹水勢或作汹 銎𨥑方言矛骹謂之

銎一曰斤斧穿或从凶 ○邕𨙭於容切說文四方有水自邕成池又州名籀作𨙭文三十五 廱說文天子饗飲辟廱曰辟廱學名通作雝

雝𪆫說文雝𪆫也或从鳥 雍和也亦姓通作邕雝 噰嗈爾雅聲也郭璞引詩肅雍和鳴或作嗈通作邕雍 貗猪屬

饔饔熟食也一曰割亨煎和之稱或从雍 灉澭說文河灉水在宋爾雅水自河出為灉或作澭 壅𡓛塞也或从

雍亦作𤮶 𤪌石次玉一曰玉器或从雍 罋甕甕陶器或作罋甕甕 𪇴𦧋𪇴𪇴多也或作𦧋 蕹菜也

鞾䪦鞾鞾勒或从邕亦作䪦 襛裕襛𧝐俗語或从邕 癰臃說文腫也或作臃亦書作癕 擁𢹂

遮也或作擁 媶女皃 蝩蟲名蝉也 ○顒魚容切說文顒大頭也引詩其大有顒一曰顒顒温皃或作顋文八 蝺蟲名似蟬

禺番禺越地名 喁噞喁魚口上見一曰聲也 鰅說文魚名皮有文出樂浪東暆神爵四年初捕收輸考工周成王時揚州獻鰅一曰鰅鱅狀如

犁牛 𨗴曲遇地名 㛜女字 ○蛩蛩渠容切說文蛩蛩獸也一曰秦謂蟬蛻曰蛩或从邛通作邛文二十九 𩦢獸如馬而青一走千里

蛬爾雅蟋蟀蛬 邛說文地名在濟陰一曰水名在蜀一曰病也亦姓 笻竹名通作邛 𦾜蕡茙實也 𣐈稱也 𨚕說文

樅䂁木也 栱共爾雅杙大者謂之栱或省 𣗳𣜲舼䑧方言南楚江湖凡船小而深者謂之𣗳或作𣜲舼䑧 輁輁軸

士喪遷柩者 䉶 籠䉶車弓也 ⿰亻⿱巩木 方言⿰亻⿱巩木傑罵也 ⿱巩鳥 水鳥名 ⿱髟巩 ⿱髟巩鬆鬆亂 跫 人行聲也 廾 竦手也

⿱巩手 舉兩手取曰⿱巩手 䰞 說文所以枝鬲者从爨省鬲省會意 烘 燎也 ⿱巩土 ⿱巩石 水石之島曰⿱巩土或从石 ⿱巩米 精米 ○ ⿱逢䖵

匹江切蟲名爾雅土蠭文一 ○ 蓬 蒲恭切闕人名蓬蒙羿之弟子文一 ○ ⿱龹牛 鳴龍切羌中牛名李登說文二 ⿱龹尾 毛之彊曲者李登說

四 ○ 江 古雙切說文水出蜀湔氐徼外崏山入海又姓亦州名文十六 茳 茳蘺香艸通作江 豇 豆名 扛 說文橫關對舉也

杠 說文牀前橫木一曰旌旗干 矼 聚石水中以為步度彴通作杠 瓨 說文似罌長頸受十升 玒 玜 玉名或从公 ⿰谷工

谷名在南郡 釭 鐙也一曰轂鐵 ⿰角公 䚗 說文舉角也或从工 魟 魟鰤水蟲名 肛 埤倉胮肛腹張也 ⿱竹江 竹名 ○

腔 羫 ⿰犭空 枯江切骨體曰腔或从羊从犬文十九 䯨 髗䯨尻骨名 㾵 啌 喉病也或从口 控 打也 椌 說文

柷樂也 跫 履地聲 䮘 馬行皃 悾 信愨皃 谾 山谷深皃 崆 崆⿰山兇山高峻皃 ⿰巟瓦 ⿰荒瓦 ⿰巟瓦也或从荒 ⿱㞢月

說文幬帳之象从月㞢其飾也 舡 艭舡舟名 涳 說文直流也 矼 堅實皃 ○ 肛 疘 虛江切博雅胮肛腫也或作疘文九

啌 咄也一曰嗔語一曰嗽也 舡 博雅艭舡舟也 谾 濶谷空皃 ⿰夅殳 韸 擊也或作韸 矼 堅實皃 涳 水流直也 ○

夅 降 胡江切說文服也从夊牛相承不敢並也或从𨸏文十六 迒 車迹也 ⿱竹夅 ⿱竹夅雙酒篘也 栙 說文栙雙也一曰未張帆皃通

作夅 ⿰豆夅 博雅胡豆⿰豆夅⿰豆雙 缸 瓨 說文瓶也或作瓨 ⿰犭夅 ⿰犭雍⿰犭夅犬不服牽也 ⿱山降 山名 洚 說文水不遵道一曰下也 ⿰鳥江

⿰鳥邛 鳥名或作⿰鳥邛 ⿰足夅 ⿰足夅⿰足雙竦立也一曰行不進 ⿰山兇 崆⿰山兇山皃 虹 潰也詩實虹小子鄭康成讀 ○ 胦 於江切胦肛不伏文二

⿰犭雍 ⿰犭雍⿰犭夅犬不服也 ○ ⿰山兇 ⿰山頁 吾江切崆⿰山兇山峻或作⿰山頁文二 ○ 胮 ⿰月逢 ⿸疒夅 肨 披江切胮肛腫也或作⿰月逢⿸疒夅肨文七

⿰音夅 ⿱鼓夅 鼓聲或作⿱鼓夅 ⿰黑夅 黑皃 ○ 邦 ⿰丰邑 ⿱㞢田 悲江切說文國也一說大曰邦小曰國亦姓古作⿰丰邑⿱㞢田文六 梆 木名

垹 土精如手謂之垹 ⿱封皮 皮裹屢 ○ 龐 皮江切說文高屋也亦姓文七 ⿱隆鼓 ⿰音夅 鼓聲或作⿰音夅 逄 塞也一曰姓也出北

海 胮 ⿸疒夅 胮肛腫也或作⿸疒夅 䑫 䑫艭船也 ○ 尨 莫江切說文犬之多毛者引詩無使尨也吠一曰雜也文二十二 厖 說文

石大皃一曰厚也 駹 說文馬面顙皆白 牻 說文牛白黑雜毛 蛖 蟲名爾雅蝚蛖螻 ⿰尨鳥 鳥名茅鴟也似鷹而白或書作⿰魚尨

⿰山尨 五⿰山尨山名在蜀 浝 說文水也 䵨 方言黮䵨私也郭璞曰皆冥闇故為陰私 娏 埤倉女神名 ⿰髟尨 毛蒼也 ⿰目尨 目暗也

哤 說文哤異之言一曰雜語 ⿰月尨 身大也 痝 病困一曰病酒 ⿰忄尨 ⿰忄尨懞惛也 ⿰亻尨 ⿰亻尨傋不媚 ⿱浝土 說文涂也 龍 黑白雜色

也周禮龍勒戒衮讀 蘢艸名 䫪頭皃 鸃鳩屬 ○雙踈江切說文隹二枚也又持之亦姓文十三 艭艄艭舟名 䉶博雅

箻䉶謂之筞一曰酒㓚 欆 㩳欆㭘張帆或从巾通作雙 𨆪䟽𨆪豆名 㦼懼也春秋傳駟氏㦼 鱴海魚名 瀧水名

在嶺南亦州名 𨇅踔𨇅竦立 䉶艸名 𩆨雨皃 孇女字 ○囪窗牕窻四初江切說文在牆曰牖在

屋曰囪或作窗牕窻古作四俗作窓非是文十三 𤫠糉不耕而種或作糉 摐博雅撞也 鏦錄穆鏓方言矛吳

楚之間謂之鏦或从彖亦作穆鏓 𦳝葱靈輜車名 ○淙鉏江切水聲文六 㟅從髺高也或作從 𣅜博雅𧯁也

長沙謂𩟪欲食也或書作饕 漴雨急謂之漴 ○椿株江切杙也文五 𣻌深水立也 鬃鬆鬤亂髮 䄂短衣

䄂祠不恭謂之䄂 ○惷丑江切說文愚也文六 䆦覩說文視不明也一曰直視或从巷亦書作䙇 樁祠不恭也 𥢥

禾不秀 𥢥短也 ○幢傳江切釋名幢童也其狀童童然文十二 橦說文帳極也 樁說文𥢥也 橦一曰木名 䆚種入也

於杠旗 䭚噇食無廉也或从口 䵶膧䵶肛尻骨或从肉 䚒視不明也 𥗨石皃 幢衣也 ○瀧

閭江切大奔湍文二 䡾充實皃 ○𦗼濃江切耳聲文十二 噥譨噥語一曰語不明或从言 䁸目不明 憹心亂也

𩯁𣯷押𣯷𩯁鬤髮亂或从毛 醲厚酒也 挵推擣也一曰窒也 饢饢饢強食也 鸗鳥名鴻也 涳直流

也亦姓

五○支章移切說文去竹之枝也从手持半竹一曰分也亦姓古作𠂆文五十四 枝說文木別生條 胑躳肢

𢺶說文體四胑也或作躳胑𢺶通作支 疻傷也 疷疧病也或从氏 紋字林繂紋挽舟繩 纚繒屬 衼毛衣也一

曰䘷𧜞謂之衹衼 衹秖適也或从禾 禔媞褆安福也或从女亦作衼 榰說文柱砥古用木今以石引易榰常凶

𣡵木盛也 梔黃木子可以染爾雅桑辨有葚梔一曰桑半有葚半無名梔 卮說文圜器也一名觛所以節飲食象人卪在其下也 觶

䣽觝鄉飲酒器受三升一說實曰觴虛曰觶或作䣽觝 只專辭也 氏月氏西域國名一曰閼氏匈奴妻名 菽䩔菽面飾

眂視也 馶說文馬彊也 雉鳷說文鳥也一曰雉度或从鳥漢有鳷鵲觀在雲陽甘泉 鷙土精如鴈黃色一足謂之鷙

毤博雅毤毤罽也 蚔蟲名如蜥蜴食人而善藏 汥說文水都也 郊邑名在義陽 多敍廣雅多也或从支 敼

鞁軝長轂 䓒荾揄荾也或作荾 岐分也 跂䟸跂用心力皃崔譔說 枳𧍯枳首蛇名蛇有兩首者或作𧍯 訳博雅

調也 蓋博雅葅也 馶方言雞陳宋謂之碑馶 豟豕高五尺為豟 吱吱吱聲也 軝車器也 眵目汁凝也 忮害也

○騹騶專垂切馬小皃或作騶文三 覘規覘面柔不能仰 ○齜莊宜切齵病或書作齹文一 ○施㐌

㫊商支切說文旗皃齊欒施字子旗知施者旗也一曰設也亦姓古作㫊文三十二 覘覘覘說文司人也一曰規覘面柔或作覘覘

通作施 箷竹名 葹卷葹艸名拔心不死通作施 纚繝縰絁說文粗緒也一曰繒屬或作繝縰絁 鍦鉇

䆊䅊方言矛吳楚之間謂之鍦或作鉇䆊䅊 攱攺㪅說文敷也或作攺㪅通作施 鷈鳥名爾雅鷈沈鳥似鴨而小長

尾背有文 䵹蟲名說文䵹䵷詹諸也引詩得此䵹䵷言其行䵹䵷 𧒂說文蛅蟴強芊也謂米穀中蠹蟲小黑蟲 酏粥清也周禮醫酏劉昌宗讀

弛施也通作施 渪水名 謻誃多言也或省 婎女字 㢮聲也 豕也 疺傷也 翄翼也 ○

釃麗山宜切以筐漉酒也或作𩋇文十九 籭篩簁說文竹器也可以取粗去細或作篩簁 纚縰纚毛羽衣皃

或从徙 欐棟也一曰木名 蠡博雅蟖蠨蚰蜒 澌水索也一曰澌 澌流冰也 斯撕廝虒析也或从手亦作廝

麗 蓰物數也五倍曰蓰 欐祭名 㪆歍唱聲 沙水傍 ○䩻山垂切說文綏也博雅鞣謂之䩻文五 孋說文愚戇

大一、二十三 小六、九十八

多態也 䍦說文飛也 鑴小鑑也 夂行曳足 ○眵俊支切說文目傷眥也一曰曹兜文五 姼姑姼美皃 纚

纚博雅細也一曰繒屬或作纚 𨋍轂飾 ○吹龡姝為切說文噓也周禮作龡文四 䶴說文籥音律管壎之樂也 炊

說文𢀩也 ○差𢀩𢀩又宜切參差不齊也古作𢀩籀作𢀩文十五 𦬷說文束炭也 齹䶩說文齒參差或从宜亦書

作𡸁 嵯嵯峨山不齊或書作嵳 縒說文參縒也謂亂絲皃 蹉跌也 柴傞柴池參差也或从人 翍翍翍燕飛不至

也通作差 𥳮篸篸竹皃 溠水名荊州浸 䐯腸也 ○衰初危切減也文四 𤸭說文減也 夊說文行遲曳夊夊象人兩脛有所躧也

脛有所躧也 榱椽也 ○匙禔常支切說文匕也或从木亦書作提文三十四 鍉鑰也 鶗鴲鶗鶘鶚也亦从氏

提題提提羣皃或从羽 鵜鳥鳴 隄堤博雅隄封都凡也或从土通作提 柢字林碓衡一曰桃也 蕛說文蕛黃屬

𦱾說文艸也 芪蚔說文芪母也一曰知母或作蚔 禔媞說文安福也引易禔既平或从女通作提 褆爾雅福也 忯

愛也一曰忯斷不憂事 姼㛅方言南楚謂婦妣曰母姼婦父曰父姼或作㛅 𧑡毒蟲蠆尾 疧病也 眡廣雅視也 祁盛皃

亦姓 祇病也一曰安也 箷爾雅竿謂之箷所以架衣者通作篪 麎麋牝曰麎 岐㟚山名古作㟚 徥說文徥徥行皃引爾

雅偍則也 靰 紂餘鞙也 軝軧 以朱絡轂或从支 ○垂 垂 是為切說文遠邊也一日錢也古作垂文二十二 陲 說文危也
𠂹 碭 說文艸木華葉𠂹古作碭 倕 倕 重也黃帝時巧人名或作倕 缶垂 錘 甀 廣雅瓶也或作錘甀 䍋
䳡 鴟也或作䳡 篅 𥮓 囷也或作𥮓 郵 地名在衞 颹 風偃物皃 稀 禾垂皃 圌 山名在吳郡 厜 厜㕒
山顛 箠 竹名 腄 臀也 娷 女字 ○兒 兒 如支切說文孺子也一說男曰兒女曰嬰亦姓古作兒文七 郳 國名 齯
老而更生齒 緦 緦繻繒美皃 唲 嚅唲強笑 婼 婼羌國名 ○痿 儒垂切說文痺也一曰兩足不相及文六 撋 捼 擩也
或从委 䬐 風緩也 餧 䭕 小餟也或作䭕 ○斯 撕 析 相支切說文析也引詩斧以斯之或从手古作析一曰此也亦姓文四十八
鐁 平木器釋名斤有高下之跡鐁彌而平之 磃 博雅磨也通作磃 磃 漢有上林磃氏館 甗 甗 字林甆破也一
曰瓶也或省亦書作甗 廝 儩 析薪養馬者或作儩 澌 說文水索也 凘 說文流冰也 霹 說文小雨財零也 𥨍 穴也
虒 說文水出趙國襄國東入湡一曰水厓 虒 說文委虒虎之有角者一曰虒祁地名在晉虒上地名在長安俗作虒非是 鼶 說文鼠也
䴦 鷥鷀雅烏也 蟴 蟲名爾雅蟴蚣螉蝑通作斯 蟴 郭璞曰青州人呼載為蛅蟴 螔 方言守宮在澤者海岱之間謂之螔蜈郭璞曰

大一十七 小七四十五 集韻平聲一 十六 正

似蜥蜴而大有鱗今通言蛇醫一曰螔蝓蝸牛也 鷉 鳥名 蘄 析 蔵蘄艸名似鷰麥或作析 榹 說文槃也爾雅榹桃山桃 頍 靚頍
頭不正一曰好皃 懥 慄也 謕 數諫一曰諫也 瘧 博雅病也一曰瘦瘧痾楚 禠 說文福也 簛 竹枝也 纚 纚 繒屬
或作纚 㯕 博雅木下支謂之榹㯕 燍 燋也 蘄 艸名生水中華可食 徙 地名在蜀一說徙㧗手期剋也 㦍 博雅㦍謂之㦍
怍 輀 輪之類太玄作輀 斳 木薪也 𥟿 治禾也 誓 聲散也或書作謕 嘶 女字 鰤 魚名一曰鰤 嘶
埤嘶短小皃 㾷 噎也 㥠 怟㥠不憂事 ○眭 宣為切目深皃亦姓文五 眭 二埒也 荾 莎 菨莎澤手也或作莎
鑴 日旁氣又鄉也 ○雌 雌 鴜 七支切說文鳥母也一曰牝也古省或从鳥文十 胔 胔 人子腸也或作胔 姕
姕姕婦人不媚皃 鈭 鈭錍斧也 擓 托也 羜 說文羊名蹏皮可以割黍 榹 木名實如桃而小 ○貲 將支切說文小罰以財自
贖漢律民不繇貲錢二十二通作訾文三十六 訾 訾 思也毀也一曰不思稱意也又地名亦姓或作訿亦書作訛 齎 歎聲易齎咨涕洟一曰女功
絲枲之事 帡 紫 埤倉布名或作紫 鈭 說文鈭錍斧也 頿 頾 頿 說文口上須也或作頾亦省 姕 說文婦人小物
也引詩屢舞姕姕 嫷 太白星妻口女嫷 觜 星名一曰鴟舊頭上角觜也 鄑 說文宋魯間地 𨚖 鄼 谷名在西海亦縣名或作

鄭 觽蠵 觽蠵龜屬或作蟕通作觜 鴜 鳥名說文鶿鴜也通作疵 鮆 魚名 鼭 說文鼠似雞鼠尾通作䖪或書作鼭 蚩 蟲似

蟬 㰣㰣 倉頡篇嫛㰣也一曰歐也或省 樍 檇 樍櫕木名實可食或从觜 𦯬 菜名蕪菁也 疵 甲疵倭人皃 𡭴

爾雅衣眥謂之襟 𥏫 矲𥏫短也 𠰣 嗺也 餈 嗞 嫌食也或作嗞 䌳 帛赤色 𣢑 嘒𣢑無廉也 𧝓 複襦 ○

厜 𡼼 津垂切說文厜㕒山顛或作𡼼文十九 觜 說文鴟舊頭上角觜也一曰觜觿也 𣏽 博雅石鍼謂之𣏽𣏽一曰鳥喙 𡟒 盈姿

纗 維綱中繩 惢 善也一曰心疑也 鮻 朘 㞗 赤子陰也或从肉从尸 捘 博雅按也 觿 事佩可以解結 臇

臞也 䔝 地黃也 矂 矂睢視也 頿 小頭皃或書作頯 騹 馬小行皃 瓗 玉名 蠵 蟕蠵龜屬 ○ 劑 遵為切爾雅劑

翦齊也周禮質劑謂兩書一札同而別之長曰質短曰劑文十二 蘳 蔩 地蘪也或作蔩 臇 臇 熣 臞也或作臇熣

檇 檇 說文以木有所擣引春秋傳越敗吳於檇李或作檇 蟕 觽 蟕蠵龜屬或作觽觜 𣏽 石鍼 ○ 疵 才支切說

文病也通作呰文二十二 玼 玉中石也一曰玉病 骴 髊 鳥獸殘骨或作髊亦書作胔 胔 人子腸 茈 茈 爾雅芍鳧茈或

作茈 樜 柌 枇 木名郭璞曰梗屬似豫章或作樜枇通作疵 呰 呰 苛也瑕也或从口 餈 呲 疵 歠食也或

作呲疵 鴜 水鳥 批 捽也 㰣 歐也 訾 毀也莊子无譽无訾徐邈讀 𡜟 博雅䁪也 庛 耒下歧木也 妛 妛妓女皃

○ 隨 鰖 遀 追 旬為切說文从也又國名亦姓古作鰖遀追文十三 隋 順裂肉也隋文帝省隨之之以為代號 䜔 言从

也 篷 籠也 璲 璲玉名 遺 諉以下人也詩莫肯下遺鄭康成讀 𧲹 豕牡謂之𧲹 𤫬 珠也蛇銜之以報隨侯楚辭因从玉

𡹬 𡹬 山皃 ○ 知 矧 珍離切說文詞也或曰覺也古作矧文十 鼅 䵹 鼄 蜘 說文鼅鼄蟊也或作䵹鼄

蜘 䣯 䣯 說文酒也或省 茹 茹毋藥艸 質 以財質也 ○ 腄 株垂切說文瘢胝也一曰馬及鳥脛上結骨李舟說文三 箠

竹節 鼓 敧鼓不齊 ○ 摛 攡 抽知切說文舒也揚子雲作攡文二十三 离 离 山神獸也古作离 螭 䗍 彲

離 說文若龍而黃北方謂之地螻一說無角螭或作䗍彲離 魑 說文鬼屬 魅 厲鬼名 誺 諦 誺 方言沇澧

之間凡相問而不知荅曰誺或作𧩟誺 黐 𥸞 博雅黏也或作𥸞 㷰 火㷰 痴 痴疷病也一曰不廉 䚓 視也賈誼曰瞝九州而相

君 曬 舒也漢書白日曬先 禽 䅬 鷙獸或从豸 摛 布木也 ○ 馳 䮈 騃 陳知切說文大驅也又姓古作䮈或

作駁文三十三 趍 博雅蹢躅跢蛛也 趍 說文趍趙久也 𧾶 說文𧾶輕薄也 峙 踟 踶 說文踷也或作踟踶 傂

佌傂參差也一曰別楂皃 簃 宮室相連謂之簃通作誃 謻 誃 別也或省 ⿰齒也 ⿰齒它 齒斷謂之⿰齒也⿰齒也或从它 ⿰龠虒 箎 竾
篪 說文管樂也或作箎笹亦作竾 䶵 咸䶵黃帝樂名通作池 杝 落也 陼 丘名 ⿰也見 規⿰也見面柔 沱 池 穿地鐘水又姓
亦作池 褫 說文奪衣也 褆 褆褆衣厚皃 虵 毆虵地名春秋傳盟于毆虵 移 扸也莊子介者移畫 猇 縣名在濟南
⿰食也 飴也 𨁈 ⿰足也 𨁈⿰足也燕飛皃通作池 她 女字 ○ 鬌 重垂切髮墮也文三 錘 說文八銖也博雅錘謂之權 甀 方言甖其大者
晉之舊都謂之甀 ○ 離 鸝 鵹 鄰知切說文離黃倉庚也鳴則蠶生或作鸝鵹離一曰別也麗也大琴也亦姓文六十九 离 說文山神
獸也歐陽喬說离猛獸也 ⿰火离 帷中之火曰⿰火离 蠡 瓠勺也一曰谷蠡匈奴君長號一曰蟲齧木中 麗 丽 施也一曰高句驪東夷國名古作丽
酈 魯地名 縭 說文絲介履 褵 爾雅婦人之褘也即今香纓通作縭 纚 綫也通作縭 䍦 䍦 𦍈 接䍦白帽也或
作羅䍦通作摛 罹 憂也遭也 ⿰忄离 ⿱離心 支⿰忄离多端也一曰思也或作⿱離心 謧 譧 ⿰忄詈 說文謧詍多言也一曰弄言或作譧⿰忄詈
⿱艹麗 ⿰土麗 說文草木相附⿱艹麗麗土而生引易百穀草木⿱艹麗於地或作⿰土麗 蘺 艸名說文江蘺蘼蕪 籬 杝 欐 藩也或作杝欐 ⿸广離
廈也 篱 笓篱竹器 穲 長沙人謂禾二把為穲 樆 爾雅梨山樆 黐 黏也 醨 說文薄酒也 灕 漓 滲灕流皃一曰

水滲入地或省 璃 博雅流璃珠也 ⿰馬离 驢子曰⿰馬离 鱺 魚鱺陣名通作麗 ⿰黑离 ⿰黑來 赤黑色或从來 驪 說文馬深黑色一曰駕二
馬 孋 孋姬晉獻公伐孋戎所獲女又姓通作麗 𨇻 ⿰革麗 舞履也一曰步也或作⿰革麗 儷 說文棽儷也木枝條皃 ⿰亻離 偶也通作離
𥈜 𥈜瞜明目者通作離 ⿰片离 破木為⿰片离 攡 摛 張也太玄幽攡萬類或省 ⿰虫麗 ⿰虫長⿰虫麗蚰蜒 鱺 魚名小鮦也 ⿰虫離 蟖⿰虫離龍無
角一曰蟲名 ⿱艹䴡 䴡 䴡⿱艹䴡鳥名自為牝牡或作䴡 ⿰鼠离 ⿰鼠离⿰鼠离小鼠相銜而行 劙 博雅解也 砅 履石渡水也 柂 柯柂酒名
⿰米离 熬米壞也 ⿰禾麗 苗也一曰五穀之列為⿰禾麗稽 ⿰离阝 鄉名 釃 以水漉糟 欐 屋棟也一曰小船 ⿸疒麗 黧瘦也 ⿰麗見 察麗視
也 ⿰糹虒 綷⿰糹虒惡絮通作縭 廲 廲廔綺窻 羅 帛也 ○ 羸 倫為切說文瘦也文七 ⿸疒羸 病也 ⿰彳羸 膝病也 ⿳亡口⿲月魚凡
魚名 ⿱艹羸 菜名葉似竹生水旁 鼺 鼺鼠別名 婁 摯婁地名在西羌 ○ 繠 汝垂切垂皃文一 ○ 蘂 壯隨切地莢文一 ○
訑 許支切笑聲文一 ○ ⿰骨兒 語支切骨皃文二 輗 轅端橫木 ○ 齹 仕知切齒不齊也春秋傳鄭有子齹文六 ⿱羊炭 束炭
齹 鹹也河內語 瘥 癃瘥疲病 㛼 㛼妭婦人小物 ⿱差魚 魚名 ○ 跬 却垂切敝跬用力皃李軌說文一 ○ 瀡 髓隨切滑
也文一 ○ 鈹 攀糜切說文大鍼也方言鍦謂之鈹一曰劒如刀裝者文二十一 ⿱皮金 鉏也 披 說文從旁持曰披一曰開也分也 ⿰耳皮

○陴䫌 頻彌切說文城上女垣俾倪也籀作䫌文二十七 埤 說文增也一曰厚也 鵯 說文益也 裨 將之偏副一曰冕名亦姓俗从言非是 郫 說文蜀縣也又晉邑亦姓 焷 火熟也 脾 說文土藏也 䴠 方言北燕謂麴曰䴠 𪍓 博雅𪍓麰謂之麴

蜱蠯 爾雅蟷蠰其子蜱蛸或从䖵 螷蠯𧒀 蚌陜而長者爲螷或作蠯𧒀 椑 博雅木下支謂之椑㯝 紕 飾緣邊也

崥 崥崹山皃一曰山足也 綼 飾裳在幅曰綼 猈箄 闕人名春秋楚有史猈或作箄 庳 爾雅鶨鶨其雄鵲其牝庳 卑 僨也

甈 方言甇謂之甈陸德明說 阰 山名楚辭朝搴阰之木蘭 𧉮 𧉮蜚也 草 艸名 ○彌弥瓕 民卑切說文弛弓也一曰益也終也亦姓或作弥古作瓕張揖說 文三十九

𨱍 說文久長也通作彌 罙冞㝥 說文周行也引詩罙入其阻一曰深也冒也或作冞㝥 䁧䁧 汙面謂之䁧或作䁧 瞴瞴眯 眇目也或作瞴眯 嬭㜷 齊人呼母曰嬭或作㜷

鑋鍪 青州謂鐮爲鑋或作鍪 䂀 矛屬 瓕璽 玉名或作璽 麊麛 說文漬米也交趾有麊泠縣或作麛 獼

猕猕 博雅猱狙獼猴也或作猕猕 鸍鴯鸍 鳥名爾雅鸍沈鳧似鴨而小一曰鳩鸍善食蛇或作鴯鸍 𡺻𡺻 山形

䔿蒣 艸名或作蒣 蒣𥳑䉲籋 說文箝也箝竹篾也或作𥳑䉲籋 瀰 瀰瀰水皃 檷𣘻

檷 枸山名或作𣘻 迷 惑也 ○移 余支切說文禾相倚移也一曰禾名亦姓或作𥝩文六十八 弛施 改易也或作施

迻拸扡 說文遷徙也古作拸或作扡 敆 通作移 銕 涼州呼甑爲銕 栘 說文棠棣也 杝 柂 木名爾雅 根柂或作杝

匜 盥器 欐簁簃提柂 方言榻前几趙魏之間謂之欐柂一曰衣架或作簁簃提柂 袘袉 博雅袖也或作袉

熪 爦熪火不絕皃 簃 說文閣邊小屋也通作誃 謻誃 門名一曰臺名或省 㴘㴘 埤倉冰室也或從水

㢨庬 門關謂之㢨或作庬 葹 說文艸萎葹 拸 博雅加也 詑訑謻訑 詑詑自得也或作訑謻訑

㠿 不憂其事曰㠿 㦬 㦬愉動皃通作㦬 㢁 㩆 說文人相笑相㢁㩆或作㩆亦省 酏酏醨 酏飲粥稀之清也鄭康成說或作酏醨

𠩜 說文歠也或書作𠩜 豙 地名在宋 𪊨 說文曰行𪊨𪊨也樂浪有東𪊨縣 㺃 貖 貔 獸名似犬赤喙白首見則荒或作貖貔

蛇虵迤 委蛇委曲自得皃或作虵迤 呲 䑛 嗛食也或作䑛 𧈝 𧈝蝓蟲名 𩙯

回氣謂之𩙯 乀 說文流也 貤 移也漢書無所流貤應劭讀 郿 地名 𨛬 猗𨛬單于名 䄬 衣中謂之䄬 𡹷 山也

坨 地名 閪 門曰也 眙 視也 沱 水文也 褫 福也 佗 佗佗美也 它 或省 ○詑 香支切言多皃文二 呹

吹歃欲食也○祇示翹移切說文地祇提出萬物者也古作示文四十四祁說文太原縣一曰大也衹𧘂衺謂之衹枝郂

岐㞿說文周文王所封在右扶風美陽中水鄉或从山因岐山以名或作岐㞿岐一曰旁出道𧺼說文緣大木也一曰行皃跂枝

跂說文足多指也或作枝歧伎舒皃詩鹿斯之奔維足伎伎忯說文愛也疷說文病也𢻱𡔷弜弓彊皃或作𢻱

弜翄繰鉤也𢺶横首枝也𨱾長跂國名其人跂長於身汥水都也一曰分流馶馬彊也馶雉方言雞陳

楚宋魏之間謂之鶴馶或从隹翍翄說文翼也一曰翍翍飛皃或从氏亦書作翅鳷鳥似翠赤喙蚑跂說文行也蟲行或作

跂蚔蝱說文畫也或作蝱亦書作蚉軝䩳軝說文長轂之軝也以朱約之引詩約軝錯衡或作䩳軝芪博雅芪母

艸名粎枝赤米或从支支令支縣名在遼西禔爾雅福也枳𧷤爾雅枳首蛇謂有兩首或作𧷤忮彊也

抵擬手期剋技不端也○隋勻規切藍蓼秀一曰蔕也一曰地毛莎隋也文十六䧅隓䳍飛也或作䧅隨䳍蠵

蠵䲅觿水蟲名涪陵郡出大龜甲可以卜緣中文似瑇瑁一名靈蠵司馬相如作蠵或从魚从角嫢盈姿一曰秦晉謂細要爲嫢

欈埋倉欈欈木名實可食𧳫𤢝獢𧳫豕小者爲𧳫子或作𤢝獢𩕢規𩕢面柔畦田有埒堤涂堤郡名○

隓墮墯翾規切說文敗城𨸏曰隓徐鉉曰蓋从二左衆力左之或作墮墮亦書作墯俗作隳非是文二十睢說文仰目也一曰睢盱小

人喜悅皃博雅睢睢盱盱元氣也眭眭盱健也譼說文相毀也一曰謑也孈愚戇多態觿說文鋭耑可以解結鑴博雅鼎屬

一曰日旁氣蘳果實見皃一曰黃華也𢤱有二心也隋挼綏祭食也一曰𤽕鬻血或作挼綏鰖䲅魚子已生

者䲅作鱌撱棄也䭱䭨小歠也或从巂鬌髮落也○闚缺規切說文閃也謂傾頭門中視也文二窺說文小視也通

作闚○規槼均窺切說文有法度也一曰正圓之器或从木文十四雉鳺巂子雉鳥名或作鳺巂槻木名可作弓一

曰欒槻木皮水漬和墨書色不脫摫方言梁益閒裂帛爲衣曰摫䪷小頭䪷䪷也或書作顤䰎說文三足釜也有柄喙嫢細要

也一曰婦人審諦皃瞡瞡瞡自得皃一曰眇視袿衣袪街都邑中道珪玉也○羈覊羇鞿居宜切說

文馬絡頭也从网从馽馽馬絆也或从革亦作羈鞿文十九羇踦旅寓也或从足奇倚不耦也或作倚通作觭𧩙語相訶戲

畸說文殘田也通作奇𣧑棄也俗語謂死曰大𣧑掎偏引也攲敧以箸取物或作敧妓妓娶女容觭得也

周禮觭夢剞博雅剞劂刀也𨉣一身也䮣良馬○犧虛宜切說文宗廟之牲也文三十八羲說文气也又姓戲

巇 嗚戲嘆辭或从口 歔 戲 相笑也或作戲通作嚱 羛 後漢有羛陽聚通作戲 曦 曦 爔 赫曦日光或省亦

从火 𢹿 隵 墭 陒 毀也或作隵墭陒通作㩉 㩉 㩘 博雅擊也或作㩘 虘 說文古陶器也 觛 角匕也

𣟴 蠘 樝 蟻 檥 豕蟲也或作蠘樝蟻檥 𧆞 瓠瓢也 𣘻 獻 勺也或作獻 瀻 水名在新豐通作戲

吹 欸吹氣逆也 㰦 吹歆欲食也 𧲜 獻 豕屬或从犬 䖀 虖虧古帝號通作犧 義 臺名莊子義臺 戲 巇

巇戲山險或作巇嶬 曦 目動也 閜 閜埼壁隙也 ○ 𢻲 毀 部 奇 欹 丘奇切說文𢻲嘔也或作毀部奇欹文二十三

攲 說文持去也 崎 崎嶇山險 觭 說文角一俛一仰也 齮 齧也 踦 說文一足也廣雅脛也 𧌎 蜘蛛長足

者通作踦 婍 說文棄也俗語謂死曰大婍 躸 字林隻也謂一身 徛 說文舉脛有渡也 猗 說文虎牙也 㤦 憾倚偷意

巵 𨇊 器名莊子巵言日出李軌讀或作𨇊通作攱 𦕰 側耳也 㩉 擊也 郼 地名 碕 聚石為杓通作徛 犄 牛名

○ 奇 觭 畸 渠羈切說文異也或作觭畸又姓文二十五 蚑 蟲名一曰蟲行也 𨙸 岐 𡸇 地名或作岐𡸇古書

作𡜬 騎 說文跨馬也 錡 釜屬一曰鑿屬 琦 玉名一曰玩也一曰大兒 碕 埼 曲岸或作埼 鵸 𩀌 鵸鶬鳥名三首善笑或

从隹 踦 一足也 弜 弓彊兒 魌 鬾 童鬼或从支 崎 崎嶇山險 敧 枝 字林橫首枝也一曰木別生或作枝

跂 𩨨 緩走也或从骨 鈘 垂也 刉 劃也 ○ 漪 於宜切水波爾雅河水清且瀾漪文二十一 猗 說文犗犬也或

从豸 欹 歎美辭通作猗 𩔱 䫑 美容也一曰睇兒或作䫑 𥝩 䄬 䔇 禾茂也或作䄬䔇 禕 爾雅美也 旖

旗旖施也一曰旖旎盛兒 椅 說文梓也 檹 說文木檹柅也賈侍中說檹即椅木可作琴或从猗 陭 崎 戲 說文上黨陭氏

阪或作崎戲通作猗 𤸎 身急弱病一曰瘞也 犄 牛名 倚 曲也書倚乃身徐邈讀 鵸 山海經翼望山有鳥三首六尾善笑名曰鵸鴒

○ 宐 宜 𡧇 𡦹 魚羈切說文所安也亦姓又州名隸作宜古作𡧇𡦹文二十七 儀 竩 容也度也亦姓又州名或从立

䭲 馬名 檥 說文榦也一曰立木以表物 轙 𨭚 說文車衡載轡者或作𨭚 鸃 說文鵕鸃秦漢之初侍中所冠鵕鸃鷩也似山雞而

小 䣡 說文臨淮徐地引春秋傳徐䣡楚 㕒 嶬 山峯巉兒巖曰厜㕒或作嶬 厓 涯 水邊也亦作涯 崖 岸上也 義

善也通作儀 獻 儀也周禮獻酌鄭司農讀 𦢀 度牲體骨曰𦢀通作儀 觛 獸角曰觛 鱶 魚子 萓 萓蒡艸名 議 謀度也

崖 崎崖石危兒 𪙁 𪘏 𪘏𪙁齒露兒或从宜 ○ 爲 𤔔 于嬀切說文母猴也其爲禽好爪爪母猴象也下腹爲母猴形王育曰爪

集韻　平聲一　二十三

祀立尸以主神亦姓文七屍說文終主一曰在牀曰屍通作尸鳲𨾴鳲鳩鳥名布穀也或从隹亦書作鳲蓍旹說文蒿屬
生千歲三百莖易以爲數天子蓍九尺諸侯七尺大夫五尺士三尺古作旹叩呻也○師𦬁𡴀霜夷切說文二千五百人爲師从帀
从𠂤𠂤四帀衆意也一曰長也範也亦姓古作𦬁𡴀文二十溮水名篩竹名神異經曰長百丈南方以爲船䙚褷䙚衣破蒒艸名博物
志生扶海洲上實如大麥一曰自然穀獅狮犬生二子或省通作師鰤魳老魚一說出歷水䮄馬帀野馬
或省螄蟲名螺也瑡玉名籭簛竹器可以除麄取細或作簛通作篩𡛴女巫或書作𡞛鳾鳥帀鳥名或省○
衰𧘓雙隹切衰微也古作𧘓文十榱說文秦名爲屋椽周謂之榱齊魯謂之桷𤺴病減也獕犬名𣯍綏毿𣯍
毛長皃一曰狐皃或作綏縗鷺首毛䩻馬垂鞘夊行遲皃○𨾂鴟鵄𨾔稱脂切鳥名說文𨾂也一曰鳶
也或作鴟鵄𨾔文十三胵胝說文鳥胃一曰胵五藏總名博雅百葉謂之膍胵或从氐䲡鮔魚名博雅河䲡鮔也或从至諸
訶怒也𨑨走皃眰張目也蚔蠪蚔獸名山海經鳧麗山有獸狀如狐九尾九首虎爪食人𥄎視也或書作眡○推川隹
切順遷也一曰窮詰文五蓷艸名茺蔚也𧬍就也責也𤛛牛名脽尻也○誰唯視隹切說文何也或从口文七

𧬍就也韓詩室人交徧𧬍我脽說文𡱂也一曰地名祠后土汾脽是也蓶艸器厜厜㕒山顛腄縣名在東萊○甤
儒隹切說文艸木實甤甤也文二十二蕤苼說文艸木花垂皃一曰蕤賓律名或省緌綏說文系冠纓也一曰注旄於干
首或作綏桵棱木名說文白桵棫或从委葰荾薑屬或作荾擩㨎㧜揾也周禮擩祭以肝肺或作㨎㧜
𢯭挼攌兩手相切摩或作挼攌浽小雨䅗稄長沙謂禾四把曰䅗或作稄痿說文痺也𨂚踒說文
頸䠗弩名頸䠗兩足蹋也張弩必以足因爲弩名或作踒娞女皃○私相咨切說文禾也比道名禾主人曰私主人爾雅女子謂姊妹之夫曰私文八
厶說文姦衺也韓非曰倉頡造字自營爲厶通作私𦯷艸名說文茅莠𤤰說文石之似玉者鋖平木器禗神不安也犀
獸名西金方也○綏宣隹切說文車中把也亦州名文二十一娞安也通作綏雖𨾩蟲名說文似蜥蜴而大一曰不定一
曰況辭古作𨾩葰荾荽芆說文薑屬可以香口或作荾荽芆稄禾四把爲稄睢濉水名在梁郡受汴入泗或
从水夊行遲皃奞說文鳥張毛羽自奮也隋挼祭食也或作挼莎挼莎以手切摩也陖地名浽滖
䨆浽微小雨或作滖䨆眭姓也○郪千咨切縣名在廣漢文十九趡趥說文蒼君卒也或从資趑次𨀮

趑趀說文趑趄行不進也或作次䟇趑趀也𧡔盜視也㞓𡲅倉頡篇此也或从資輂䡯博雅塞也卻車抵堂爲輂

或作輂恣恣睢自得皃𢱟挐也蠀蟲名蝎化妻齊也淒雲興皃萋萋萋艸盛皃○咨

諮津私切說文謀事曰咨一曰嗟也或从言文三十七姿妷姿女容資說文貨也一曰助也取也亦姓齎持也戰國策齎盜糧一曰齎咨

歎辭姿說文態也餈𩞁稻餅或从齊粢䅯粢齍說文稷也或作䅯粢齍齍璾說文黍稷在器

以祀者周禮有王齍或作璾蒫薺實絘績所緝也𧝔說文緶也謂裳下緝或書作𧝔通作齊㳄茨𤵸具茨山名在滎

陽或作茨𤵸澬說文久雨涔澬也一曰水名𩃎𩆂說文雨聲或从資鶿鳥名雞身鼠毛穦說文積禾也引詩穦之秩秩

呰爾雅呰此也次揖次縣名在武威郡薋艸名博雅茨蒺薋一曰菜生水中㛮太白謂之女㛮蠀蠀蟲名蝎化也或作蠀

鴜鸕鴜鼠名如雞𢂋大布曰𢂋鮆魚名刀也訾思也鶿鳥名山海經女祭山有𪈚鳥人面隮陞也○崔

嶉隹崒嶊遵綏切崔崔高大也或作嶉隹崒嶊文十誰就也檇以木有所擣騅馬駒謂之騅𤞞犬怒

摧退也易晉如摧如鄭康成讀○茨才資切說文以茅葦蓋屋一曰次也次比艸爲之亦姓文二十八𧶊說文艸多皃蠀𧓱

集韻平聲一 二十五 邦信

𧕯蠀螬蟲名或作𧓱𧕯亦書作𧐖餈餎𥹸粢𩞁說文稻餅也或作餎𥹸粢𩞁穦博雅積也垐堲

說文以土增大道上古从土即引虞書龍朕堲讒說殄行堲疾惡也瓷甆陶器之緻堅者或从缶澬久雨一曰水名𩃎𩆂雨聲

或作𩆂亦書作霣絧補也輂輂連車或作輂𩶓魚名鮎也江東語薺艸名說文蒺蔾也引詩牆有薺通作齊茨飺

飲也懠怒也齊等也次𤵸具次山名或作𤵸通作茨○胝疷䟡蹟張尼切說文腄也一曰繭也或

作疷䟡蹟文八秖秠禾始熟曰秖一曰再種或作秠氐氐池縣名謘不知也○追中葵切說文逐也文四𨓈博雅

雷也篚竹名𡝩疾悍一曰怒也○絺抽遲切說文細葛也文十一郗說文周邑也在河內亦姓瓻畜瓶瓶也一曰盛酒器古

以借書篅竹器𣬈笑皃脪脪脪畜水腸詗陰知伺察也狶狶韋因氏名官也屖博雅屖屖欺也謘不知

也㛷女字○墀墀陳尼切說文涂地也引禮天子赤墀或作墀文四十坻汝渚坁泜說文小渚引詩

宛在水中坻或作汝渚坁泜泜水名在常山汦說文著止也阺秦謂陵阪曰阺岻山名在青州謘說文語諄謘也

遲迟遟趆遫說文徐行也引詩行道遲遲或作迟遟趆古作遫徲博雅徲徲往來也一曰久也衹衹徊裴回

也落水石衣 茋 說文茋藸艸也一曰蘦茋木名今刺榆或从氏 莉 姓也 蚳𧓨䗊 蟲名說文蚳子周禮有
蚳醢或从䖝古作䗊 貾 蟲名爾雅貝餘貾黃質白文通作蚳 祁 地名穀孰有祁亭 穉 幼也一曰自驕矜皃 驪 驪軒縣名在張掖
𧂐𥂃𧂐 說文葅也或从皿皿器也亦作𧂐 蜂 蟲名蛭也逸詩佞人如蜂 軝 車兩尾也 禣 衣圭文 屄
踥 踞地也或从足 𨂻 止不前也 ○椎 棺 傳追切說文擊也齊謂之終葵或作棺通作槌文十五 鬌 鬄 說文髮隋也或
作鬌 槌 蠶曲柱 鎚 金椎一曰權也 錘 說文八銖也 磓 落也 糙 粉餌也 頧 說文出頟也 魋 椎頭髻漢尉佗魋結
甀 甄 罌也或作瓺 腄 地名 䭔 項後骨通作椎 ○黎 梨 良脂切說文果名或作棃文四十二 𥈱 目閒也
𥞊 手持物 䔧 蔾 艸名 䴢 𪎭 䴢𪎭麵也 秜 說文稻今年落來年自生謂之秜 𧞀 黎衣褵衣敝 犂 𤛓
牛駁文一曰耕也或作𤛓𤛓 𥠖 𥢈 種也或作𥢈 鵹 鸝 鵹鸝黃鳥名或作鸝雜 黧 黑而黃 蜊 蛤蜊蟲名海蚌
也 蟍 𧒂 蛥𧒂蟲名似蝗大腹長角食蛇腦或从黎 鯬 鯬魚鯠魚名 刕 姓也蜀刀逵之後避難改馬从三刀 鑗 𨪁
黑金也或作𨪁 𢡂 𢙇 說文恨也一曰急也捈也或省 黎 衆也 𦳉 地名穆天子傳讀書於𦳉丘 𨞗 國名 莉 笓莉織竹為障

大百廿九 小六百九十
集韻五　卷十一
二十六
邵信

也 𪍿 麥酒也 𠠲 直破也 𪏑 勑 剝也或作勑 婺 寡婦也 䔧 竹名也 𢿲 小畫也 𢿲 引也 黎
黎 饘也或从米 𩦹 驪 駹驪獸名似馬或从梨 ○纍 縲 倫追切說文綴得理也一曰大索一曰不以罪死曰纍或作縲文四十五
絫 十黍為絫一曰十絲 纝 緣 博雅纝縲絡也或作緣 蘲 藟 虆 蔂 說文艸也或作藟虆蔂通作蘽
蘲 蔂 盛土籠或作蔂 櫐 說文木實也 欙 樏 說文山行所乘者引虞書予乘四載山行乘欙一曰前無齒或作樏 灅
說文水出鴈門陰館累頭山東入海一曰治水也 㠥 巙 巊 㠥巙山皃或作巙巊 瓃 瓃 玉器或作瓃 儽
儽 儡 博雅儽儽疲也一曰敗也欺也或作儽儡 嫘 嫘 姓也黃帝娶于西陵氏之女是為嫘祖嫘祖好遠遊死於道後人祀以為行神或作
嫘通作累 𤜡 𤛱 累 求子牛一曰騰犢也或作𤛱累 鸓 蠝 鳥名鼠形飛走且乳之鳥或从虫亦書作鸓 𠡍 推之勉也
耒 田器 𦘂 𦗨 𦘂 博雅視也或作𦗨𦘂 罍 𦉪 酒器也古作𦉪 儡 勞心也 擦 博雅理也 𤮐 博雅瓾甈
甈也 壘 廣雅重也 磥 東齊謂磨曰磥碓 𦢊 脯也 菓 果實垂皃一曰耕多艸 ○尼 女夷切說文從後近之徐鍇曰妮也
文十八 岷 妮 山名顏氏禱於岷丘生孔子或从丘通作尼 怩 忸怩心慙也古書作𢘻 呢 𠵓 呢喃小聲多言也或从貳

跜蹥跜獸動皃 𩛞餌也 柅絡絲一曰木名實似棃 秜稻再生 蚭蟲名博雅蚰蜒也方言北燕謂之蚰蚭 貎獸名

㞾字林南方雉名 旎旖旎柔弱皃 狔猗狔物从風皃 妮女字 𪁺告也 抳研也 ○夷𡰥尼延知

切說文平也東方之人也或作尸𡰥古書作夸文四十五 侇尸也一曰侇之言移也 銕嵎銕東表之地通作夷𡰥 寅𡩀𡫥

東方之辰古作𡉏𡨦 𡨧𡨩恭也籀作𡨧 陝博雅陝險也 侇說文行平易也 𡰯𨁈博雅蹲𡰯踞也或从足

姨說文妻之女弟同出為姨 恞爾雅悅也 眱眤博雅䁧眱直視一曰小視也南楚謂眄曰眱古作眤 胂胰夾脊肉或作胰

洟涕鼻液或从苐 痍說文傷也 彝𢑱𢑲𢏊𨐻說文宗廟常器也一曰法也古作𢑱𢑲𢏊 𣕆說文木也

桋木名說文赤桋也引詩隰有杞桋 荑艸名爾雅蕛荑蕛䔲一名白蕢 𦼺艸名蒐瓜也 鏔戟無刃 羨沙羨縣名在江

夏郡 䍺驛羊一曰野羊 鵜鵜鶘鳥名飛生也通作夷 鮧鯷鮧魚名一曰鹽藏魚腸宋明帝蜜漬鯷鮧一食數升 蛦螔蛦蟲名 䮊馬名

䨆雷也 咦說文南陽謂大呼曰咦 螔螔蝓蟲名蝸也 𤆍火皃 柅船名 𤞟獸名 韑韋也 ○惟夷隹切說

文凡思也一曰謀也一曰語辭文十六 維說文車蓋維也一曰綱也繫也隅也 唯專辭 旞旌謂之旞 襸衣也 遺𨗒遝𨘇

說文亡也一曰贈也餘也亦姓古作𨗒𨗒 瀢說文水出琅邪箕屋山東入海徐州浸引夏書瀢淄其道 壝堳埒也 䁤目疾 蓶菜名

似烏韭而黃 琟說文石之似玉者 蟦肥蟦蛇名山海經泰華山有蛇六足四翼見則天下旱 𣡸蠻夷貨 讙就也 ○帷

𠥾于龜切說文在旁曰帷一曰圍也所以自圍障古作𠥾文二 ○咦馨夷切博雅笑也一曰呼也一曰南陽謂失笑為咦文十 咥大笑

也 忯廣雅喜皃 𦛗脽也 吚㕥𧥠𦡆屎𣢟𣢕說文唸吚呻也或作㕥𧥠𦡆屎𣢟𣢕 ○倠

呼維切說文仳倠醜面文七 婎𡡄說文姿婎姿也一曰醜也或作𡡄 睢眭說文仰目也一曰睢睢元氣皃或作眭 屎殿屎

呻吟也 奞鳥振羽 ○伊𠈠於夷切說文殷聖人阿衡尹治天下者一曰伊維侯也又姓亦州名古作𠈠文十三 洢水名在河南陸

渾山入河 咿吚喔咿強笑或省 蛜蝛蟲名說文蛜威委黍委黍鼠婦也或从伊 黟𪑮𪐴縣名在丹

陽一曰黑木或作𪑮𪐴 𩒏面不正 嫛嫛婗小兒 㛤女字 ○狋牛肌切說文犬怒皃一曰犬難附代郡有狋氏縣文二 𥰢

大麓 ○飢𩛿饑居狋切說文餓也亦姓或从乏从幾文六 肌說文肉也 机木名似榆山海經單狐之山多机木可燒以糞

田 虮蟲名爾雅蛮虮繼英通作飢 ○龜𪚦居逵切說文舊也外骨內肉者也天地之性廣肩無雄龜鼈之類以它為雄一曰畜脊隆處

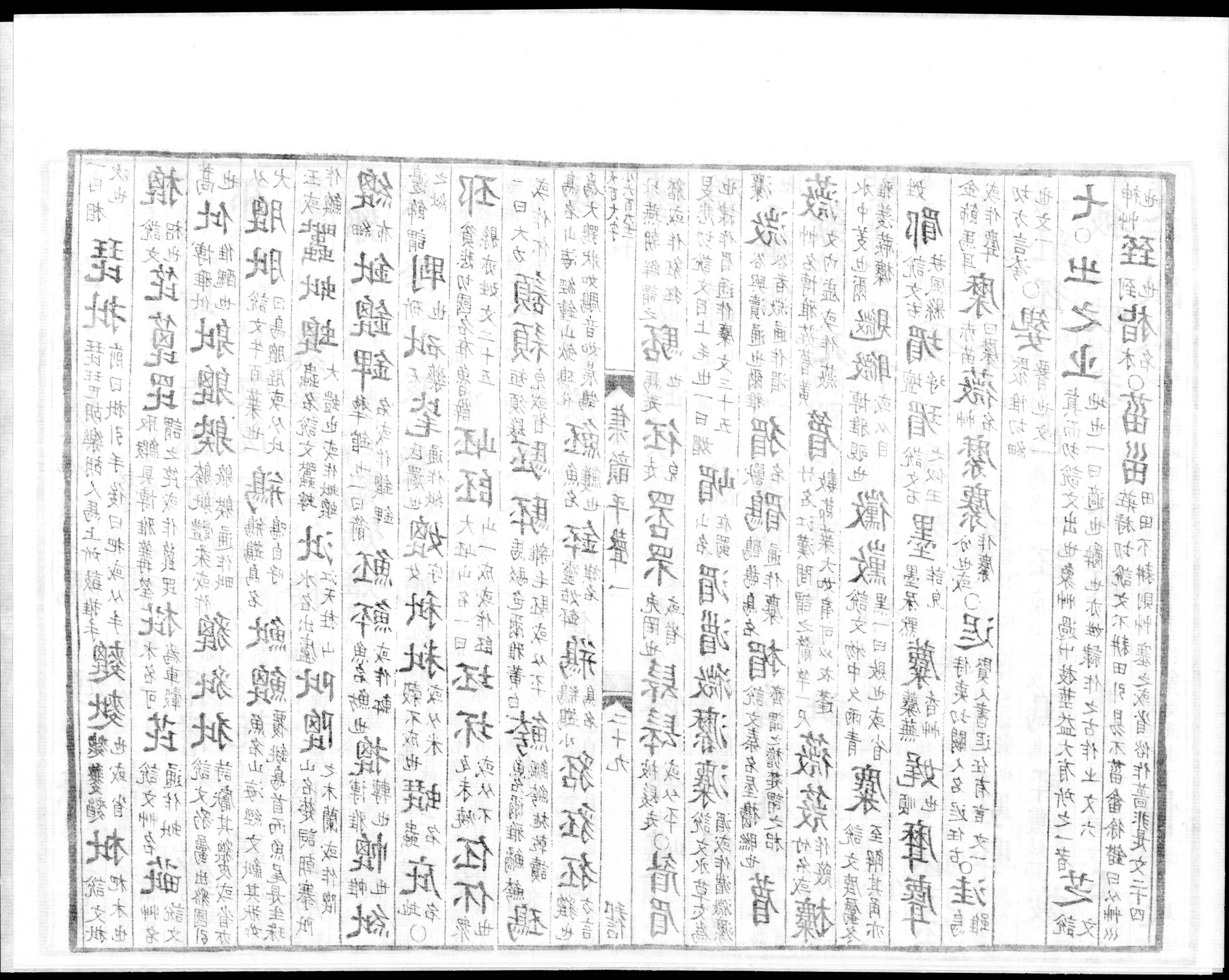

集韻平聲一

二十九

𦔳𢦕䅿𦾔博雅耕也或作𢦕𢦕䅿𦾔通作菑 甾甶說文東楚名缶曰甾古作甶 茬山名漢泰山郡

有茬山亦姓 緇紂純說文帛黑也周禮七入為緇或作紂純 輜說文軿車前衣車後也字林載衣物車前後皆蔽若今庫車

錙說文六銖也一曰八兩曰錙 椔爾雅木立死椔通作甾 淄水名出泰山梁父縣亦州名俗作濇非是 鶅⿰甾隹爾雅東

方曰鶅或从隹 鄑鄉名 ⿰食甾饘名 ⿰虍甾手足膚黑 鯔魚名 崰崰嶷不齊皃 ○ 詩訨申之切說文志也一曰承也持

也古作訨文六 邿說文附庸國在東平亢父縣邿亭引春秋傳取邿 齝⿰齒司⿰口司爾雅牛曰齝吐而噍也或作⿰齒司⿰口司 ○ ⿰目矣

外基切以目通指也春秋傳⿰目矣魯衛之使或从矣文三 漦沬也 ○ 蚩充之切說文蟲也一曰蚩蚩敦厚皃文十八 妛媸

侮也癡也或作媸通作蚩 嗤⿰蚩欠笑也或作⿰蚩欠 𦐇𦐇𦐇羽翼盛也 ⿱殸日告也 ⿰口司⿰齒司齝食已復出嚼也或作⿰齒司齝

⿰目蚩目汁凝 饎酒食也 郗郗郗衆多也 ⿰糸齒繒屬 漦流涎也 ⿰阝蚩地名 ⿱竹蚩竹名 ⿰犭蚩[illegible]⿰犭長⿰犭蚩名犬也 ○

輜又緇切軿車文五 颸⿰風甾博雅風也一曰颸疾也或从甾 ⿰齒思齝也 緦十五升布也 ○ 時旹市之切說文四

時也一曰伺也一曰是也古作旹亦姓文十九 塒說文雞棲垣為塒今寒鄉穿墻棲雞通作時 榯木立皃一曰落榯持門樞 蒔艸名 鰣

⿰魚寺魚名魚之美者或省 鮨蜀以魚為醬曰鮨 鼭爾雅鼠名 溡水名在齊通作時 覩睹博雅視也或从目 示

姓也晉有示眯明 諸博雅怒也 提未提縣名在犍為 𦐇⿺走𦐇說文飛盛皃或作⿺走𦐇 ⿰口是鳴也 ⿰禾者種也 ○ 茌

仕之切說文艸皃濟北有茌平縣或从仕文二 ○ 漦俟甾切說文順流也一曰水名一曰盡也一曰次流出皃文二 狋狋犄角獸角皃一曰不

平 ○ 而人之切說文頰毛也引周禮作其鱗之而一曰語辭一曰汝也如也文四十 髵髵髵獸作鬣皃 耏耐罪不至髡也或从寸

應劭曰輕罪不至于髡完其耏鬢法度字宜从寸彡一曰姓也 咡吻也或从耳 誀誘也 洏說文安也一曰漣洏流涕皃 胹

腝臑⿰鬲而⿰火而說文爛也方言秦晉之郊謂熟曰胹或作腝臑⿰鬲而⿰火而 ⿺尢而孿丸之孰也 陑隭地名湯伐桀所升在河曲

南或作隭 峏山名 𦬁說文艸多葉皃沛城父有楊𦬁亭 栭說文屋枅上標引爾雅栭謂之檽 檽⿰木耎木名一曰木栮或从耎 ⿸广而

至也 輀轜輭說文喪車也或作轜輭 軔礙車 鴯⿰而隹鳥名燕也莊子鳥莫智於鷾鴯或从隹 鮞說文魚子也一

曰魚之美者東海之鮞 濡水名在河間春秋傳盟于濡上一曰亨肉和湆 聏⿰耳而和也調也或作⿰耳而 袻裝也 ⿰女而女字

侕衆多皃 ⿰木乃木名 ⿰言乃厚也 仍因也關中語 艿艸名 杒小車棃 陾陾陾築墻聲 ○ 思

恖𢙣𢗷 新兹切說文容也一日念也一日于思多鬚皃古作恖𢙣𢗷文三十 偲愢 切切偲偲相切責也或作愢 颸 風皃

罳𦊅 博雅罘罳謂之屏釋名罘罳在門外罘復罳思也臣將入請事於此復重思之籒作𦊅 緦𢆶 說文十五升布也一曰兩

麻一絲布也古作𢆶 𥲤 竹名有毒傷人即死生海畔有毛 楒 相楒木名通作思 禗 神不安欲去意 騦 馬名 絲糸

說文蠶所吐也或省 鷥 鷺鷥鳥名 司 說文臣司事於外者與后相反一曰后道寬惠司家褊急違於君也亦姓 伺 候也察也 覗

𥄳 博雅視也一曰竊見或从目 𤝇 說文司空也復說獄司空一曰辯獄相察 笥 竹器 䚡 角中骨曰䚡 𦺝 艸名 𣳚 水名

蕬 菟蕬藥艸 媤𡛋 女字或从司 ○兹丝 津之切說文黑也引春秋傳何故使吾水兹一曰蓐也此也亦姓古作丝文二十四

𪑠 深黑色 孜 說文汲汲也引周書孜孜無怠 孳孶 說文汲汲生也籒作孶 孖 一產二子通作孳 芓 艸名若也

椔 欂櫨也 仔 說文克也一曰仔肩任也 滋滋𣸪 說文益也一曰滋水出牛飲山白陘谷東入呼沱一曰蕃也旨也古作滋𣸪

稵 禾生皃一曰蒔也 兹 說文艸木多益 嵫 崦嵫山名日所入處 鼒 說文鼎之圜掩上者引詩鼐鼎及鼒通作鎡 鎡 鎡錤鉏也

通作兹 嗞 說文嗟也廣雅嗞吚笑也一曰啼不止 鰦 魚名爾雅鮂黑鰦 耔 壅禾根也詩或耘或耔沈重讀通作芓 字 養也鄭康

成曰小國貢輕字之也 𤲞 地名或書作菑 鶿 鸕鶿鳥名 ○詞𧦝 詳兹切說文意内外古作司或書作𧦝文十三 辭𤔲

𤔲 說文訟也从𤔔𤔔猶理辜也𤔔理也籒从司古作𤔲通作辤 辤辝 說文不受也从辛从受受辛宜辤之籒从台俗从舌非是 祠 說文

春祭曰祠品物少多文詞也仲春之月祠不用犧牲用圭璧及皮幣 柌枱鈶𣛮 博雅柄也或作枱鈶𣛮 絧 博雅補也 ○

慈𢘑 牆之切說文愛也亦州名或作𢘑文十五 磁礠 石名可以引鍼又州名或省 鶿𪈆鴜 鳥名說文鸕鶿

也或作𪈆鴜 嗞 潜嗞愧皃 濨滋 水名在定州旱則竭或从兹 𢽚 龜兹西域國名 呲 無食也 齒 水腸謂之齒

䈘 竹名 嬨 女字 ○癡𢣁徥 超之切說文不慧也或作𢣁徥文十一 痴 痴癡不達皃 笞抬 說文擊也

或从手 齝𪘏呞 說文吐而噍也引爾雅牛曰齝或从司从口 漦 博雅盠也一曰龍吐沫 擕 擕里地名在秦 ○治

澄之切說文水出東萊曲城陽丘山南入海文十一 乿𦜬𢉖 理也或作𦜬𢉖通作治 秮 耘秮除艸 持 說文握也 莉 姓也

箈𥳂 箭萌一曰水中魚衣或从怠 菭 菭蘠艸名通作治 𦶁 艸名著也 ○釐𤛑 陵之切說文家福也一曰理也

或作𤛑文四十三 𢉖 坼也 氂 說文犛牛尾也一曰十毫曰氂 斄庲 鄉名古省 𣯍𦁋 彊曲毛可以箸起衣或作𦁋

𪌊麳 麥也或从麥 鬆鬆鬆鬆 起皃 來倈 至也或作倈 賚 賜也 艃 博雅艃舟也 嫠 說文無夫也

𡥅孷 方言陳楚之間凡人嘼乳而雙產謂之𡥅孷或省 𢡟 愁憂皃楚潁間語 𧪗 罵也 㾊 病也 𦀅 斷繒也

剺𠢓 說文剥也劃也或从廾 𤗆 說文引也 犛 說文微畫也 犛 牛名黑色出西南徼外張揖說 貍狸

貍㹈 說文伏獸似貙或作狸貍㹈 䔧 寒也 蘲 豆名可食 㮏 㽑也司馬法周輜輦載㮏 薶 說文艸也一曰羊蹄 𥳮

竹名出廣州西南 籬 𥳮箬竹杓 𥽋 爾雅盝也 浬 泥浬波斯酉長名 㯕 木名條可為大索 𩸽 魚名 𪈈 䅘

艸名夫蘺也或作莱 ○飴 飴饌𩚓飤粭 盈之切說文米櫱煎也一曰濡弱者為飴或作饌𩚓飤粭文四十六 匠 頤

𦣝 說文顄也或作頤𦣝 宧 說文養也室之東北隅食所居李巡曰東北陽氣始起育養萬物故曰宧 胎 豕脾息肉 台 說文悅也

一曰我也 眙 眙胎地名通作台 怡 說文和也亦姓 𡣕 樂也 貽 黑貝也 遺 與也通作貽 詒 詒 說文相欺詒也

一曰遺也或从巳通作貽 巸 發歎一曰巳也舉也 巸 臥 𢀻 說文廣𦣞也一曰長也或从欠古从户 弫 弓名 柂 梔

博雅𣳈斗謂之柂所以抒水或从匠通作枱 洍 江水決復入為洍 涘 水名 圯 說文東楚謂橋為圯 枱 鈶 𨫍 𣐂 說文

大一六三 小九六三

耒耑也或作鈶𨫍枱 瓵 說文甌瓿謂之瓵 甌 博雅甈甌甌瓿也 治 水名出鴈門累頭山東至泉州入海 𤦲 珆 說文石之似玉者一

曰五色玉或从台 鮐 魚名博雅鮐鯸鮔也背青腹白觸物即怒其肝殺人 姬 妃 姫 衆妾總稱或作妃姫 熙 闕人名春秋傳鄭有

公子熙 豨 豨韋太史官名李軌說 鮐 魚名爾雅鮐背壽也 怠 懈也 怡 恞恞和適也 ○僖 虛其切說文樂也亦姓文三十五

嬉 博雅戲也通作娭 𡣕 巸 說文說樂也或省 歖 𣢟 憙 說文卒喜也或从喜从心 欸 唉 欸 說文

欸欸戲笑皃或作唉欸 嘻 歎也一曰有所多大之聲周頌有噫嘻 譆 痛也 誒 唉 說文可惡之辭一曰誒然引春秋傳誒誒出出或作

唉 禧 釐 說文禮吉也一曰福也或作釐 熙 㷩 說文燥也一曰廣也和也古作㷩 熹 𤏫 說文炙也一曰熾也或作

𤏫亦書作熺 焃 火盛皃 䵱 說文目童子精也 娭 嫼 婦人賤稱或从熙 㽈 說文坼也从攴从厂厂之性坼果熟有味亦

坼故謂之𤿺 訢 悉也 嘻 未喜有施氏女名通作嬉 昕 旦明日將出也 欸 呻吟也 𪑾 黑也 咦 呼也 饎

糦 饎 酒食曰饎或作糦饎 豨 豕也 ○欺 倛 丘其切說文詐欺也或作倛文十七 諆 說文欺也一曰謀也 娸

娸 說文人姓一曰訞娸漢書娸蘖其短或作𡠇 䫏 魌 說文醜也今逐疫有䫏頭䫏頭方相也或作魌通作魌 𩕄 大頭也一曰頭不正

飲趬說文走也璣說文珠不圜也磯博雅磧也一曰感激孟子是不可磯也鞿馬絡頭一曰韁在口蘄鄿沛郡有蘄

縣或作鄿籤竹也䕯蕺艸名磑礲石鞿耕也○歸婦居韋切說文女嫁也籒省一曰還也又州名亦姓文五

騩山名山海經大騩山在滎陽密縣一曰馬色蘬艸名博雅葵也𡚴往也使也○希𥎏香依切寡也望也施也亦姓古

作𥎏文稀說文疏也徐鍇从禾爻巾爻者稀疏之義巾象禾之根莖通作希俙依俙猶言髣髴也一曰訟也面相是心相非睎說文

望也海岱之間謂眄曰睎欷唏說文歔也一曰歔欷懼皃或从口悕願也悲也春秋傳在招丘悕矣𧼮𧼮𧾗走皃或从夷从

幾晞說文乾也一曰明之始升烯火色頹額頹頭動皃莃艸名說文兔葵也一曰似葵而小葉狀如藜有毛汋啖之滑桸木名

汁可食一曰夕也鵗雞爾雅雉北方曰鵗或从隹豨狶豬也方言南楚謂之豨或从犬浠水名𧌐蟲名欷

欲食也霼雨止皃䣜骨節間娎女字○暉吁韋切說文光也日之光文二十七煇輝煒說文光也

火之光或作輝煒揮撣說文奮也一曰揭也或作撣渾振去水也通作揮翬𣪠博雅𣪠憧乖刺也或从殳揮

楎杙也爾雅杙在牆者謂之楎或作楎鶤雞三尺曰鶤徽𢼂說文衺幅也一曰三糾繩也美也古作𢼂𢿊旙說文幟也

以絳徽帛著於背引春秋傳揚徽者公徒或作𢿊通作徽褘說文蔽厀也引周禮王后之服褘衣一曰婦人邪交落帶繫於體者幃說文囊也

翬說文大飛也一曰伊雒而南雉五采皆備曰翬引詩如翬斯飛或書作䍾獋山海經獄法山有獸狀如犬而人面是善投見人則笑其名山獋

騨山海經太行山有獸狀如麢四角馬尾而有距名曰騨徽鰴爾雅魚有力者徽或作鰴闈爾雅宮中門謂之闈緯大束也

犨牛名嫢女字○衣於希切說文依也上曰衣下曰裳本胡曹作衣衣隱也亦姓文十五依說文倚也一曰祿也𠂣

說文歸也从反身徐鍇曰古人所謂反身脩道故曰歸𨸻說文酒泉天依阪也漢有大依縣隑隑氏縣名在上黨婍說文女字也

悘偯譩噫哀痛聲或作偯譩噫𣐤楎依木名可為箭笴一曰箭筩禕美也扆爾雅牖戶間謂之扆郭璞讀

郼國名呂氏春秋湯立為天子商不變肆親郼如夏𣲽水名○威𢇍畏於非切說文姑也引漢律婦告威姑一曰

有威可畏謂之威古作𢇍畏亦姓文十一葳葳蕤艸木皃㰐說文㰐簎䕤器一曰通陂竇𡿺博雅𡿺陂險也㟪㟪壘山名媁

美也蝛蛜蝛蟲名鰄魚名○沂魚衣切說文水出東海費東西入泗一曰沂水出泰山蓋青州浸文九𣳦听

溰磑嵬皃或省𡾬危也近也磑礲石溰皚溰博雅溰溰霜雪也或从白从水隑岸曲皃○巍嵬

語韋切說文高也或省文九 騩馬黑色 阢石山戴土 犩犪牛名犪也如牛而大肉數千斤或作犪 儡心勞苦皃 魏
獨立皃莊子魏然而已 㞑爾雅峷者厜㞑 ○祈𥝩渠希切說文求福也或作𥝩文三十九 頎說文頭佳皃一曰長皃 旂
說文旗有衆鈴以令衆也一曰交龍爲旂 畿圻𨹉說文天子千里地以遠近言之則言畿也一曰限也或作圻𨹉 埼碕崎
隑曲岸也或从石从山亦作隑 岓山旁石曰岓 鬿魕鬼俗或从幾 𧯷說文𢍰也訖事之樂一曰危也汔也 剴
摩也 𪘲齒危 幾近也一曰器之沂鄂 𦡷頰肉謂之𦡷 刉封也或書作刨 俟万俟虜姓 蟣蝨名說文強也蓋蝿類
玂爾雅犬生一子玂 蟣蚑蟲名水蛭也入人肉者或作蚑 璣珠不圓 肵敬也鄭康成曰盛心舌之俎 機嘰
小食也或从口 磯感激也 蘄縣名 鐖大鐮 𥂁禨說文以血有所刉涂祭也或作禨 僟說文精謹也引明堂月令
數將僟終 鬿山海經北號山有鳥白首鼠足名曰鬿雀一曰星名 芹菦水艸或作菦 𨗨走也 ○韋𡎾于非切說
文相背也从舛口聲獸皮之韋可以束枉戾相違背故借以爲皮韋亦姓古作𡎾文二十一 𩏼𩏼說文束也徐鍇曰束之象木華實之相累也或从束
𢾺說文戾也 違說文離也 幃囊也一曰單帳 闈說文宮中之門 囗說文回也象回帀之形 圍說文守也 𧜨說文

大一百十
小七百字

重衣皃引爾雅𧜨𧜨潰潰或書作褱 葦艸名爾雅葦醜刀謝嶠讀 𩏁說文衺也 鍏臿也方言宋魏之間謂之鍏 湋說文回也
一曰水名 潿說文不流濁也 喡呼聲 媁說文不悅皃 褘邪交落帶繫於體謂之褘通作幃 椲木名 𠥋器也 ○
蘬葵區韋切說文薺實也一曰蘢古之大者古作葵文四 𧡱注目視 巋山皃 ○頄珏今戚切權骨也文一 ○脢莊歸
切夾脊肉文一 ○𢷋丘衣切投取也文一
九 ○魚𩵋牛居切說文水蟲也象形魚尾與燕尾相似亦姓古作𩵋文二十二 𩺰說文二魚也 𤄞漁䲜
魰說文捕魚也篆省或作䲜魰 齬齒一前一却 鋙鋙鉏鋙機具也一曰釜屬或从吾 䁻𩧄𦢉晤馬二
目白曰䁻或作𩧄𦢉晤 吾吾吾疏遠皃春秋國語暇豫之吾吾 𧍞蟲魚也 衙衙衙行皃 郚郚鄉地名 䕲艸名
東人呼荏爲䕲或作𦵔 𨳌門名 娪吳人謂女爲娪 ○於𢀛衣虛切于也居也往也一曰語辭亦姓古作𢀛俗作於非是文九
鄔鄔陵縣名在太原 箊䇷箊竹名葉薄而廣 菸艸名說文鬱也一曰矮也 淤泥澱 唹博雅笑也 瘀積血 𤦀玉名
○虛虗休居切空也亦姓古作虗俗作虛非是文十二 驉𤢺驉騠獸名或从犬通作虛 歔說文欷也 噓吁

說文吹也一曰出氣急曰吹緩曰噓或作吁　魖䙌說文秏鬼也或从示　雩雩婁地名　嘘崎嘘山峻　䃸石皃　○虛

墟丘於切說文大丘也崐崘丘謂之崐崘虛古者九夫爲井四井爲邑四邑爲丘丘謂之虛或从土文二十一　嘘崎嘘山峻或書作嘘　厶

筁䕆䒷說文𠙴盧飯器以柳爲之象形或作筁䕆䒷　抾說文挹也　椐椐樻木名節可作杖　袪說文衣袂也一曰袪褢也

褢者裹也袪尺二寸引春秋傳披斬其袪一曰舉衣皃　攄博雅擊也　阹說文依山谷爲牛馬之圈　胠博雅脅也一曰旁開爲胠一曰陳右翼曰

胠　魼鱋說文魚也一曰比目或作鱋　袪欆却也　去疾走也　呿口開也　抾方言抾摸去也一曰捧也　憈志怯也

車車也老子有車之用　○居踞𡰪九魚切說文蹲也从尸古者居从古徐鉉曰言法古也亦姓或作踞𡰪文二十六

凥层說文処也從尸得几而止引孝經仲尼凥凥謂閒居如此或作层　䝬𡩸博雅䝬賺賣也一曰貯也或作𡩸　据說文戟挶

也韓詩曰足爲事曰拮据　椐木名說文樻也　裾說文衣袌也一曰衣後裾　琚璩說文瓊琚引詩報之以瓊琚或作璩　崌山名北江

所出或書作崌　車輿輪總稱釋名今者聲如居所以居人也古曰車聲近舍車舍也韋昭曰從漢始有居音　涺渥泥說文水也或从层从

凥　䔯䔯䔯艸名　鶋鶢鶋鳥名通作居　腒說文北方謂鳥腊曰腒引傳曰堯如腊舜如腒　倨傲也春秋傳直而不倨徐邈讀　𨛜

國名　蜛𩶉蜛蝫蟲名一頭尾有數條左右有脚狀如蠶可食或从魚　婮女字　䅓蜀人謂黍曰䅓稆　○渠求於切說文水所居

也一曰渠渠勤也一曰州名亦姓文五十三　𩞀博雅將𩞀帥也通作渠　淭𣙮宋魏之間謂把爲淭拏或作𣙮通作渠　豦說文鬭相

丮不解也或从豕虍豕虍之鬭不相捨引司馬相如說豦封豕之屬一曰虎兩足舉　貗驉貗獸名　鸈鸆𪆰鳥名說文𪆰鸈也飛則鳴行則

搖或作鸆𪆰通作渠　腒䐔鳥腊或作䐔　䗇螶蟝蟲名說文螶蠓也朝生暮死豬好啖之或作蟝通作渠　𠏉吳人呼彼

稱通作渠　蕖芙蕖荷總名通作渠　蘧遽說文蘧麥也亦姓或作遽　蘧說文菜也似蘇　籧說文籧篨粗竹席也一曰籧篨疾不能

俯通作籧　籧牛筐　欋博雅欋杷籬也　𨌈博雅𨌈輮輞也　𦂅𦆽博雅履其緣謂之𦂅一曰絲名或作𦆽　鐻金銀器名

璩璖環屬或夷貫耳或作璖通作鐻　磲𥕐博雅硨磲石之次玉或省　醵䣡合錢飲酒或从巨　𨻴

階也　𨞄邭聚名或从巨　躆犯也一曰小跳　𥧒空也　巨未央也通作腒　𧜹繫也　裾衣後曰裾　懅怯也

琚佩玉名　秬黍屬　蚷商蚷蟲名北燕謂之馬蚿　氍𣰆氍毹氈也或作𣰆　澽廣雅乾也　𪍿麥小者𪍿　苣

闕人名北齊有宋苣　𡠠𡡺女字或省　㺜犬狙惡也　○胥新於切說文蟹醢也鄭康成曰青州之蟹胥一曰助也相也皆也待也文十九

疋說文足也 諝惰博雅智也或从心通作胥 湑露皃 揟捉說文取水沮也武威有揟次縣或作捉 楈說文木也似栟櫚皮可以索一曰犂也 稰禾子落皃 箵竹名一曰箕屬 藇姓也 糈糧也 鱮說文魚也 蝑蟲名說文蜙蝑也

偦跣也通作揟 輯相和集也莊子民孰敢不輯 娶問娶媒也 㥠猨屬 醑泲酒具 ○疽千余切說文癰也文二十

八 胆蛆𧍧說文蠅乳肉中也或从虫亦作𧍧 鵙雎鳥名說文王鵙也其為鳥摯而有別或从隹 狙猨屬 趄

且跙說文趑趄也或作且跙 葅苞葅 苴麻之有子者 菹菹蒀艸名 沮止也一曰水名在楚通作雎 濾水名在北地入馮翊洛水 岨砠䃜說文石戴土也引詩陟彼岨矣或作砠䃜 麆鹿子曰麆 坥說文益州部謂螾場曰坥 𨚮鄉名

虘此也在右扶風 覰䁦相伺視也或作䁦 組邑名在海中 伹廣雅鈍也一曰拙也 䈏竹名 怚姡也 ○

苴子余切說文履中艸一曰包也亦姓文十四 蒩說文茅藉也引禮封諸侯以土蒩白茅 且說文薦也从几足有二橫一其下地也一曰此也語辭也 𨚮說文右扶風鄠鄉 蛆蝍蛆蟲名 沮水名說文出漢中房陵東入江 砠爾雅石戴土為砠 狙猨屬 䝌

罝說文兔罟也 揟揟次縣名在武威郡一曰取魚也 苴說文人相依苴也 頊領也 謯詠也 ○徐祥余切說文安

行也又州名亦姓文十三 徐邪說文緩也亦姓或作邪通作徐 伹說文拙也 葅葅蒀菜名似韭 𨚔地名邾下邑 䝌

說文豕屬 𧳟羜郯羊也皮可冒鼓摯之益急或作羜 余余吾水名在朔方 鉏闕人名春秋傳有西鉏吾 蒣艸名

𨏓車軨也 ○疏山於切凡艸菜可食者通名為疏郭璞說通作疏文二十 梳𣏍㯈說文理髮也或作𣏍㯈 疋說文足也上象腓腸下从止弟子職曰問疋何止一曰記也 𤴔疏疏踈說文通也一曰遠也或作𤴔疏踈亦姓 斯析也詩斧以斯之

𨶹說文門戶疏窻也通作疏 綀綌屬後漢欘衡著綀巾 紽繼也 釃䍦盪也或作䍦 蘇木名詩山有扶蘇徐邈讀

𣭛𣯫𣭰毛席也或作𣯫𣭰 糈博雅鐵也 ○書書商居切說文箸也一曰如也庶也紀庶物也或作書文二十一

舒豫說文伸也方言東齊之間凡展物謂之舒一曰敘也散也或作豫舒又姓亦州名 除余四月為除或省 紓絲

悆忬說文緩也一曰解也或作絲悆忬通作舒 䣝鄉名在廬江通作舒 䔡艸名博雅䔡鄃魚薺也 藷艸名 瑹

荼博雅瑹珽笏也一曰美玉或省 鶢鵨雓鳥名似鳧或作鵨雓 筡𥰨筡竹篾也 徐徐州地名在齊通作舒 𥳑

竹名 ○初𠁈楚居切說文始也从刀衣裁衣之始唐武后作𠁈字文三 𠰾呵叱也 ○菹蒩薀䔃葅

蘁苴臻魚切說文酢菜也一曰麋鹿為菹蘁菹之稱菜肉通或作葅蘁菹菹蘁苴文十四蒩茅藉也齟齬不齊皃沮
姓也沮誦黃帝時史官通作狙苴狙驚狙凡春秋傳司馬抇狙樝以木為闌也飷饞飷食無味姐嫭姐驕態○諸
[illegible]專於切說文辯也一曰衆也之也亦姓古作[illegible]文十三藷艸名說文藷蔗也通作諸[illegible]藥艸署預也櫧䡣楮木名
似柃葉冬不落或作者車楮[illegible]博雅磁礑礪也可以攻玉蠩䱾蝫蝫蠩蟲名一曰蝦蟆或作䱾蝫[illegible]水名在恒山偖
月行也詩日居月偖通作諸○鉏鋤助牀魚切說文立薅所用也又姓或作鋤亦省文十耡耝起民令相佐助也周禮以
興耡利甿或省豠𧲩豕屬或从助[illegible]舂鋤鳥名鷺也通作鉏駔蜀齊公子名麆麛子也一曰關中謂小兒為麆子聚義
○蜍蠩常如切蟾蜍蟲名或从諸文六蒢藷蒢藥艸署預也或作藷蒢柔木名似楮○如女人余切說
文从隨也一曰而也若也往也然也亦姓古作女文二十挐說文持也[illegible][illegible]說文地名或省蒘蒘藘艸名茹也可以染絳通作茹
[illegible]蕳蒘艸名絮姓也漢有絮舜茹艸根相牽引皃亦姓袽絲袽也洳水名在南郡雓鴽鳥名說文
牟母也或从鳥[illegible]獸名皐赤毛青食虎豹[illegible]叚寐濡安也莊子有濡需者[illegible]病也[illegible]木名筎刮取竹皮為筎侞
均也○豬猪䐗張如切說文豕而三毛叢居者或从犬从肉文十瀦潴水所停曰瀦或作潴櫫博雅杙也㯫櫫有所
表識藸蕏茥藸艸名或作蕏都明都澤名在青州椓木立死○攄捈抽居切博雅舒也或作捈通作攎
文九摴摢摴蒱戲也亦姓或作摢[illegible]樗櫖說文木也一曰惡木或从雩从慮筡艸名爾雅簡筡中言中空類竹也
瑦玉名山海經小華山其陽多瑦玗○除陳如切說文殿陛也一曰去也文二十二宁爾雅門屏之間謂之宁通作著筡艸名簡筡
中空芧艸名可為繩儲說文偫也一曰副君也亦姓躇䠧說文峙躇不前也或作䠧滁水名一曰州名涂潴
水名在堂邑或从諸篨說文籧篨也蒢艸名說文黃蒢職也葉似酸漿華小而白中心黃江東以作菹食藸艸名說文茥藸也通作著
[illegible]蕏藸菜名怒也藷䕼蒢艸名山海經景山北望少澤多藷藇或作䕼蒢著太歲在戊曰著雍[illegible][illegible]廣雅瘲瘀
瘀也或从除屠休屠匈奴王號祭天以金人者糈糧也通作儲○臚膚[illegible]凌如切說文皮也一曰腹前曰臚籀省或
从皮文三十一閭說文里門也引周禮五家為比五比為閭閭侶也二十五家相羣侶也一曰居也一曰獸名如驢一角歧蹄亦姓廬說文寄也秋冬
去春夏居一曰粗屋總名又姓亦州名璩玉名慮櫖攎木名爾雅諸慮山櫐也郭璞曰謂似葛而麤大江東呼為藤或作櫖

八徵耄念之寶

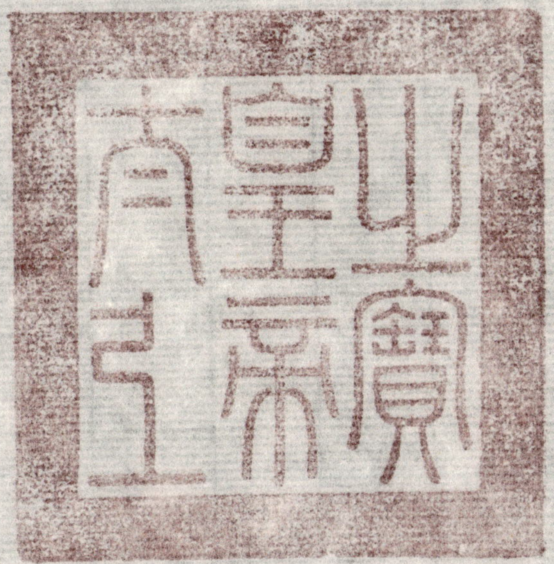
太上皇帝之寶

五福五代堂古稀天子寶

八徵耄念之寶

太上皇帝之寶

櫨一曰林慮地名也無慮都凡也櫚木名博雅栟櫚椶也⿱竹閭⿱竹閭著竹名䕡菴䕡艸名狀如艾蒿近道處處有之藘茹藘蒨艸

蘆漏蘆藥艸⿰镸盧鬣也⿰忄閭憂也⿰氵閭浘⿰氵閭泄海水出外者通作閭爈山火曰爈驢⿰馬婁獸名說文似馬長耳或从

妻⿰馬𧘇⿰馬旅傳也如今遽馬或从旅蠦諸蠦蟲名通作慮壚黑土旅陳也周禮皆旅擯鸕鳥名爾雅鸕諸雉

⿰足盧臚傳也一曰上傳語告下為⿰足盧或作臚通作臚𡾊山名⿰金閭矛戟受柄處艫船尾○絮女居切袽說文絜

縕也一曰敝絮引易需有衣絮或作袽亦書作⿱如衣文十一帤說文巾帤也一曰幣巾也方言大巾嵩嶽之南陳潁之間謂之帤巾⿰如毛犬多毛皃挐

牽也煩挐也持也絮姓也蒘蒘莿蒘艸名似芹可食子大如麥著人衣⿰扌挐涤⿰扌挐把也茹闆人名春秋傳有苫茹通作挐⿱茹糸黏箸也史

記⿱茹糸漆其間⿱艹敊藸菽艸名○貙敕居切虎之大者文一○余予羊諸切說文語之舒也爾雅余予皆我也亦姓文五十⿱余八

說文余也歟欤說文安氣也或作欤與語辭通作歟譽稱美也伃妤說文婦官也漢有倢伃美皃或从女

嬩說文女字也悇樂也懙㥚懙懙行步安舒也或作㥚亦書作惥舁⿱与手說文共舉也或作⿱与手擧說文對舉也

⿺走與安行也輿⿰車与說文車輿也一曰始也衆也亦姓或作⿰車与艅艅艎吴舟名通作餘旟說文錯革畫鳥其上所以進士衆旟旟衆也引

周禮州里建旟礜石藥餘說文饒也一曰皆也亦姓畬⿰田予說文三歲治田也引易不菑畬田或作⿰田予亦書作畭藇香艸爾雅藒車芞藇

⿰氵與說文水也璵璠璵魯之寶玉或書作⿱與玉⿱與馬說文馬行徐而疾引詩駟牡⿱與馬⿱與馬⿸鹿與⿸鹿與羊大者曰羬⿸鹿與㺞獸名一曰猗㺞犬子

狳犰狳獸名山海經餘莪山有獸狀如兔而鳥喙鴟目蛇尾見人則眠鵌鵸鵌鳥名山海經翼望之山有鳥焉三首六尾而善笑或書作駼⿱竹與

⿱竹舁博雅篹也或作算鸒鸒斯鳥名雓雓雛也爾雅雓大者蜀蜀子雓蜍蟲名鼁鼀也方言北燕朝鮮洌水之間謂之蝳蜍

鱮鱑鱮魚名邪緩也詩其虛其邪荼茅秀周官有掌荼徐邈讀芧木名橡也莊子狙公賦芧李軌讀⿰口與噓⿰口與引重者歌

除四月為除⿱與令傁輿也蜼獸名卬鼻長尾零陵南康人呼曰蜼𥐥石名䍽野羊⿰衤與衣[illegible]舉皃揶昏揶殘餘也

集韻卷之一